ALFAGUARA

# CIENCIAFICCIÓN

**Antología**

Sistema de clasificación Melvil Dewey DGMyME

808.838
762
C54
2001     *Cuentos de ciencia ficción. Antología* / Selección y prólogo de Ricardo
         Bernal. - México : SEP : Alfaguara, 2001.
         196 p.- (Libros del Rincón)

         ISBN: 970-18-7351-3 SEP

         1. Ciencia ficción. I. Bernal, Ricardo, comp. II. t. III. Ser.

C $^{\partial}$

Primera edición SEP/Alfaguara, 2001

D.R. © Aguilar, Altea, Taurus, Alfaguara, S.A. de C.V., 2001
       Avenida Universidad 767, Colonia del Valle
       México, 03100, D.F., Teléfono 5688 8966
       www.alfaguara.com.mx

D.R. © Secretaría de Educación Pública, 2001
       Argentina 28, Centro,
       06020, México, D.F.

D.R.  © Diseño de la cubierta: Nicolás Chirokoff. Latin Freak System, S.A. de C.V.
D.R.  © Fotografía de la cubierta: Ruy Fischelt

ISBN: 968-19-0962-3 **Alfaguara**
ISBN: 970-18-7351-3 SEP

Impreso en México

# CIENCIAFICCIÓN

## Antología

**Selección y prólogo de Ricardo Bernal**

 ALFAGUARA

Libros
del Rincón

SECRETARÍA DE
EDUCACIÓN
PÚBLICA

# Prólogo

El libro que acabas de abrir es un libro mágico. La razón es muy simple: así como el beso de la princesa convierte en príncipe a una rana, el beso de la ciencia ficción es capaz de transformar un hecho cotidiano y perfectamente comprobable (fundamento científico) en una puerta abierta hacia una realidad insospechada que, sin embargo, no tiene por qué ser imposible. Aquí, el legendario Merlín es sustituido por un adusto científico, y aunque el camino parece ser diferente, el destino sigue siendo el mismo: el maravilloso reino de Camelot, donde el ser humano crece a estaturas colosales.

Si tratáramos de precisar la fecha exacta del nacimiento de la ciencia ficción, podríamos, como muchos expertos, ubicarla en 1818, con la aparición de la novela *Frankenstein* de Mary Shelley, donde se plantea la creación de vida a partir de un estímulo eléctrico aplicado sobre un cadáver reconstruido. Estamos ya ante el relato de anticipación científica que, posteriormente, sería desarrollado por Edgar Allan Poe y su discípulo Julio Verne.

Sin embargo, no es sino hasta 1895, con la aparición de *La máquina del tiempo* del escritor británico H.G. Wells, cuando se marca el inicio de la ciencia ficción moderna. Las obras de Wells plantearían la mayoría de los temas que habrían de ser explotados más tarde: la invasión extraterrestre, el futuro de la raza humana, la experimentación genética, la conquista del espacio, o una combinación de todos ellos.

Ha pasado más de un siglo desde entonces.La ciencia y la tecnología han avanzado vertiginosamente, y esos cambios han hecho que la ciencia ficción crezca hasta convertirse en un género de impresionante madurez y variedad temática. Ya no se trata tan sólo de hacer terroríficas profecías para el próximo milenio, o de narrar ingenuas aventuras en planetas exóticos. La ciencia ficción se ha transformado en un ojo crítico de la civilización contemporánea; una parte de la literatura que, con el pretexto de contar historias, describe una realidad paralela y aparentemente lejana en el futuro. Sin embargo, ese mundo ficticio no es sino un retrato exagerado, y a veces, muy cercano al mundo y a la humanidad actuales.

Para la presente antología se han seleccionado nueve de los cuentos que por su calidad e innovación se consideran clásicos dentro del género, y que ejemplifican las diferentes tendencias temáticas y estilísticas que se han manejado desde tiempos de Wells.

Y es precisamente Wells quien abre esta selección con *El Nuevo Acelerador,* cuento frenético donde un invento científico pone al descubierto una de las incógnitas filosóficas por excelencia: el transcurrir del tiempo.

Por su parte, Edmond Hamilton nos ofrece en *Exilio,* una breve obra maestra de la "edad de oro" de la ciencia ficción, en cuya trama un escritor del género es atrapado por su propia fantasía.

*El ruido de un trueno*, de Ray Bradbury, es el típico viaje por el tiempo, en este caso a la prehistoria, cuando la tierra estaba poblada por dinosaurios. El hábil manejo de la paradoja temporal da como resultado un cuento contundente donde, más allá de la sorpresa final, se cuestiona la importancia que puede tener un mínimo cambio en la naturaleza.

En *Deserción*, del inexplicablemente poco conocido Clifford D. Simak, un astronauta y su perro son enviados a las gaseosas profundidades de Júpiter con el fin de averiguar las razones por las que ningún explorador ha regresado. El delicioso y desconcertante final de este cuento es un ejemplo de los alcances filosóficos a los que puede llegar la ciencia ficción bien escrita.

*El sexto palacio*, de Robert Silverberg, es el clásico cuento donde el protagonista tiene que resolver un acertijo; aunque en este caso no es la esfinge quien lo plantea, sino un enorme y peligroso robot. La desbordante imaginación de Silverberg, y su fino toque de humor negro, hacen de este cuento una joya inolvidable.

El inigualable maestro británico Arthur C. Clarke nos brinda en *Lección de historia*, una amarga broma sobre el destino final de la raza humana, y la interpretación que podrían darle a nuestra cultura los arqueólogos extraterrestres del futuro.

*De cómo Ergio, el autoinductivo, mató a un carapálida*, del escritor ucraniano Stanislaw Lem, es un claro ejemplo de "space opera", género de la ciencia ficción que se caracteriza por dar mayor énfasis a las aventuras espaciales que a la exactitud científica.

En *Recuerdo perdido,* Isaac Asimov plantea un futuro inconcebible donde los conceptos de mente y materia son llevados hasta sus máximas consecuencias, cuestionando, de paso, la posición existencial del hombre en el Universo.

Por último, y para cerrar con broche de oro, *Lo recordaremos por usted perfectamente* de Phillip K. Dick, quien a partir de su muerte en 1982 se ha convertido en un autor de culto, a tal grado, que algunos críticos lo han llegado a considerar como el mejor escritor norteamericano del siglo XX. El insólito argumento de este cuento sirvió de base para el guión de la película *El vengador del futuro* (*Total recall*), aunque claro, el original supera con creces a la película.

Como toda antología, esta selección es el resultado de una larga y cuidadosa búsqueda. Razones de espacio explican la ausencia de autores importantísimos como Robert Heinlein, Alfred Bester o Ursula le Guin. Sin embargo, creo que la lectura de estos cuentos te invitará a seguir buscando libros de ciencia ficción, a descubrir otros autores, o bien, otras obras de los autores aquí incluidos. Una de las características de la ciencia ficción es que es muy difícil prescindir de ella una vez que te atrapa.

En fin, éstos son los mejores cuentos de ciencia ficción; o por lo menos, estoy convencido, nueve de los mejores. Todos ellos plantean la contundente pregunta, base de la antigua y de la nueva ciencia ficción: *¿Qué pasaría si...?*

*Ricardo Bernal*

# El Nuevo Acelerador

H. G. Wells

En verdad que si alguna vez un hombre encontró una guinea buscando un alfiler ése fue mi buen amigo el profesor Gibberne. Yo había oído hablar ya de investigadores que sobrepasaban su objeto: pero nunca hasta el extremo que él lo ha conseguido. Esta vez, al menos, y sin nada de exageración, Gibberne ha hecho realmente un descubrimiento que revolucionará la vida humana.

Y esto ha ocurrido cuando estaba buscando simplemente un estimulante nervioso de efecto general para hacer recobrar a las personas debilitadas las energías necesarias en nuestros agitados días.

Yo he probado ya varias veces la droga, y no puedo hacer más que describir el efecto que me ha producido. Pronto resultará bastante evidente que a las personas que andan al acecho de nuevas sensaciones les están reservados experimentos sorprendentes.

El profesor Gibberne, como es muy sabido, es convecino mío en Folkestone. Si la memoria no me engaña, han aparecido retratos suyos, de dife-

rentes edades, en el *Strand Magazine*, creo que a
fines del año 1899; pero no puedo comprobarlo,
porque he dejado el volumen a alguien que no me
lo ha devuelto. Quizá recuerde el lector la alta frente
y las negras cejas, singularmente largas, que dan a
su rostro un aire tan mefistofélico. Ocupa una de
esas pequeñas y agradables casas aisladas, de esti-
lo mixto, que dan un aspecto tan interesante al
extremo occidental del camino alto de Sandgate.
Su casa es la que tiene el tejado flamenco y el
pórtico árabe, y en la pequeña habitación del mi-
rador es donde trabaja cuando se encuentra aquí, y
donde nos hemos reunido tantas tardes para fumar
y conversar. Su conversación es animadísima; pero
también le gusta hablarme acerca de sus trabajos.
Es uno de esos hombres que encuentran una ayuda y un estimulante en la conversación, por lo que
a mí me ha sido posible seguir la concepción del
Nuevo Acelerador desde su mismo origen. Desde
luego, la mayor parte de sus trabajos experimentales no se verifican en Folkestone, sino en Gower
Street, en el magnífico y flamante laboratorio con-
tiguo al hospital, laboratorio que él ha sido el primero en usar.

Como sabe todo el mundo, o por lo menos
todas las personas inteligentes, la especialidad en
que Gibberne ha ganado una reputación tan grande como merecía entre los fisiólogos ha sido en la
acción de las medicinas sobre el sistema nervioso.
Según me han dicho, no tiene rival en la cuestión
de los medicamentos soporíferos, sedantes y anes-
tésicos. También es un químico bastante eminente,
y creo que en la sutil y completa selva de los enigmas que se concentran en la célula ganglionar y

en las fibras vertebrales ha abierto pequeños claros, ha logrado ciertas elucidaciones que, hasta que él juzgue oportuno publicar sus resultados, seguirán siendo inaccesibles a todos los demás mortales. Y en estos últimos años se ha consagrado con especial asiduidad a la cuestión de los estimulantes nerviosos, en los que ya había obtenido grandes éxitos antes del descubrimiento del Nuevo Acelerador. La ciencia médica tiene que agradecerle, por lo menos, tres reconstituyentes distintos y absolutamente eficaces, de incomparable utilidad práctica. En los casos de agotamiento, la preparación conocida con el nombre de Jarabe B de Gibberne ha salvado ya más vidas, creo yo, que cualquier bote de salvamento de la costa.

—Pero ninguna de estas pequeñas cosas me deja todavía satisfecho —me dijo hace cerca de un año—. O bien aumentan la energía central sin afectar a los nervios, o simplemente aumentan la energía disponible, aminorando la conductividad nerviosa, y todas ellas causan un efecto local y desigual. Una vivifica el corazón y las vísceras, y entorpece el cerebro; otra obra sobre el cerebro a la manera del champaña, y no hace nada bueno para el plexo solar, y lo que yo quiero, y lo que pretendo obtener, si es humanamente posible, es un estimulante que afecte a todos los órganos, que vivifique durante cierto tiempo desde la coronilla hasta la punta de los pies, y que nos haga una dos o tres veces superiores a los demás hombres. ¿Eh? Eso es lo que yo persigo.

—Pero esa actividad fatigaría al hombre.

—No cabe duda. Y se comería doble o triple, y así sucesivamente. Pero piense usted lo que eso significaría. Imagínese usted en posesión de un frasquito como éste —y alzó una botellita de cristal verde, con la que puntualizó sus frases—, y que en este precioso frasquito se encuentra el poder de pensar con el doble de rapidez, de moverse con el doble de celeridad, de realizar el doble de trabajo en un tiempo dado de lo que sería posible de otro modo.

—¿Pero, es posible conseguir una cosa así?

—Yo creo que sí. Si no lo es, he perdido el tiempo durante un año. Estas diversas preparaciones de los hipofosfitos, por ejemplo, parecen demostrar algo de este género. Aun si sólo se tratara de acelerar la vitalidad una y media veces, esto lo conseguiría.

—Puede que sí —dije yo.

—Si usted fuera, por ejemplo, un gobernante que se encontrara en una grave situación y tuviera que tomar una decisión urgente, con los minutos contados, ¿qué le parece...?

—Se podría suministrar una dosis al secretario particular —dije yo. Ganaría usted... la mitad del tiempo. O suponga usted, por ejemplo, que quiere acabar un libro.

—Por regla general —dije yo—, suelo desear no haberlos empezado nunca.

—O un médico que quiere reflexionar rápidamente ante un caso mortal. O un abogado..., o un hombre que quiere ser aprobado en un examen.

—Para esos hombres valdría a guinea la gota, o más —dije yo.

—También en un duelo —dijo Gibberne—, en donde todo depende de la rapidez al oprimir el gatillo.

—O en manejar la espada —añadí yo.

—Mire usted —dijo Gibberne—: si lo consigo merced a una droga de efecto general, esto no causará daño alguno, salvo que tal vez le hará envejecer a uno más pronto en un grado infinitesimal. Y habrá vivido el doble que las demás personas...

—Oiga —dije yo, reflexionando—: ¿sería eso leal en un duelo?

—Ésa es una cuestión que resolverían los padrinos —repuso Gibberne.

—¿Y cree usted realmente que semejante cosa *es* posible? —repetí, volviendo a preguntas precisas.

—Tan posible —repuso Gibberne, lanzando una mirada a algo que pasaba vibrando por delante de la ventana— como un autobús. A decir verdad...

Se detuvo, sonrió sagazmente y dio unos golpecitos en el borde de la mesa con el frasquito verde.

—Creo que conozco la droga... He obtenido ya algo prometedor —terminó.

La nerviosa sonrisa de su semblante traicionaba la verdad de su revelación. Gibberne hablaba raramente de sus trabajos experimentales en curso, a no ser que se hallara muy cerca del triunfo.

—Y puede ser..., puede ser..., no me sorprendería... que la vitalidad resultara más que duplicada.

—Eso será una cosa enorme —aventuré yo.

—Será, en efecto, una cosa enorme —repitió él.

Pero, a pesar de todo, no creo que supiera por completo lo enorme que iba a ser aquello.

Recuerdo que después hablamos varias veces acerca de la droga. Gibberne la llamaba el Nuevo Acelerador, y cada vez hablaba de ella con más confianza. A veces hablaba nerviosamente de los resultados fisiológicos inesperados que podría producir su uso, y entonces se mostraba francamente mercantil, y teníamos largas y apasionadas discusiones sobre la manera de dar a la preparación un giro comercial.

—Es una cosa buena —decía Gibberne—, una cosa estupenda. Yo sé que voy a dotar al mundo de algo valioso, y creo que no deja de ser razonable el esperar que el mundo la pague. La dignidad de la ciencia es una cosa muy bonita; pero, de todos modos, me parece que debo reservarme el monopolio de la droga durante diez años, por ejemplo. No veo la razón de que *todos* los goces de la vida les estén reservados a los tratantes de jamones.

El interés que yo mismo sentía por la droga esperada no decayó, en verdad, con el tiempo. Siempre he tenido una rara propensión a la metafísica. Siempre he sido aficionado a las paradojas sobre el espacio y el tiempo, y me parecía que, en realidad, Gibberne preparaba nada menos que la aceleración absoluta de la vida. Supóngase un hombre que se dosificara repetidamente con semejante preparación; este hombre viviría, en efecto, una vida activa y única; pero sería adulto a los once años, de edad madura a los veinticinco, y a los treinta emprendería el camino de la decrepitud senil.

Hasta este punto se me figuraba que Gibberne sólo iba a procurar a todo el mundo el que tomara su droga exactamente lo mismo que lo que la naturaleza ha procurado a los judíos y a los orientales, que son hombres a los quince años y ancianos a los cincuenta, y siempre más rápidos que nosotros en el pensar y en el obrar. Siempre me ha maravillado mucho la acción de las drogas; por medio de ellas se puede enloquecer a un hombre, calmarle, darle una fortaleza y una vivacidad increíbles, o convertirle en un leño impotente, activar esta pasión o moderar aquélla; y ¡ahora venía a añadirse un nuevo milagro a este extraño arsenal de frascos que utilizan los médicos! Pero Gibberne estaba demasiado atento a los puntos técnicos como para atender mis comentarios en torno a estas cuestiones.

Fue el siete o el ocho de agosto cuando me dijo que la destilación que decidiría su fracaso o su éxito temporal se estaba verificando mientras nosotros hablábamos, y el día diez fue cuando me dijo que la operación estaba terminada y que el Nuevo Acelerador era una realidad palpable. Este día me lo encontré cuando subía la cuesta de Sandgate, en dirección de Folkestone (creo que iba a cortarme el pelo); Gibberne vino a mi encuentro apresuradamente, y supongo que se dirigía a mi casa para comunicarme en el acto su éxito. Recuerdo que los ojos le brillaban de una manera insólita en la cara acalorada, y hasta noté ya la rápida celeridad de sus pasos.

—Es cosa hecha —gritó, agarrándome la mano y hablando muy de prisa—. Más que hecha. Venga a mi casa a verlo.

—¿De verdad?

—¡De verdad! —gritó. ¡Es increíble! ¡Venga a verlo!

—¿Pero, produce... el doble?

—Más, mucho más. Me he espantado. Venga a ver la droga. ¡Pruébela! ¡Ensáyela! Es la droga más asombrosa del mundo.

Me aferró del brazo, y marchando a un paso tal que me obligaba a ir corriendo, subió conmigo la cuesta, gritando sin cesar. Todo un ómnibus de excursionistas se volvió a mirarnos al unísono, a la manera que lo hacen los ocupantes de estos vehículos. Era uno de esos días calurosos y claros que tanto abundan en Folkestone; todos los colores brillaban de manera increíble, y todos los contornos se recortaban con rudeza. Hacía algo de aire, desde luego; pero no tanto como el que necesitaría para refrescarme y calmarme el sudor en aquellas condiciones. Jadeando, pedí misericordia.

—No andaré muy deprisa, ¿verdad? —exclamó Gibberne, reduciendo su paso a una marcha todavía rápida.

—¿Ha catado usted ya esa droga? —dije yo, resoplando.

—No. A lo sumo una gota de agua que quedaba en un vaso que enjuagué para quitar las últimas huellas de la droga. Anoche sí la tomé, ¿sabe usted? Pero eso ya es cosa pasada.

—¿Y duplica la actividad? —pregunté yo al acercarme a la entrada de su casa, sudando de una manera lamentable.

—¡La multiplica mil veces, muchas miles de veces! —exclamó Gibberne con un gesto dramático, abriendo violentamente la ancha cancela de viejo roble tallado.

—¿Eh? —dije yo, siguiéndole hacia la puerta.

—Ni siquiera sé cuántas veces la multiplica —dijo Gibberne con el llavín en la mano.

—¿Y usted...?

—Esto arroja toda clase de luces sobre la fisiología nerviosa; da a la teoría de la visión una forma enteramente nueva... ¿Sabe Dios cuántos miles de veces? Ya lo veremos después. Lo importante ahora es ensayar la droga.

—¿Ensayar la droga? —exclamé yo mientras avanzábamos por el corredor.

—¡Claro! —dijo Gibberne, volviéndose hacia mí en su despacho—. ¡Ahí está, en ese frasco verde! ¡A no ser que tenga usted miedo!

Yo soy, por naturaleza, un hombre prudente, sólo intrépido en teoría. *Tenía* miedo; pero, por otra parte, me dominaba el amor propio.

—Hombre —dije, cavilando—, ¿no dice usted que la ha probado?

—Sí; la he probado —repuso—, y no parece que me haya hecho daño, ¿verdad? Ni siquiera tengo mal color, y, por el contrario, *siento*...

—Venga la poción —dije yo, sentándome—. Si la cosa sale mal, me ahorraré el cortarme el pelo, que es, a mi juicio, uno de los deberes más odiosos del hombre civilizado. ¿Cómo toma usted la mezcla?

—Con agua —repuso Gibberne, poniendo de golpe una botella encima de la mesa.

Se hallaba en pie, delante de su mesa, y me miraba a mí, que estaba sentado en el sillón; sus modales adquirieron de pronto cierta afectación de especialista.

—Es una droga singular, ¿sabe usted? —dijo.

Yo hice un gesto con la mano, y él continuó: —Debo advertirle, en primer lugar, que en cuanto la haya usted bebido, cierre los ojos y no los abra hasta pasado un minuto, y con mucha precaución. Se sigue viendo. El sentido de la vista depende de la duración de las vibraciones, y no de una multitud de choques; pero si se tienen los ojos abiertos, la retina recibe una especie de sacudida, una desagradable confusión vertiginosa. Así que téngalos cerrados.

—Bueno; los cerraré.

—La segunda advertencia es que no se mueva. No empiece usted a andar de un lado para otro, pues puede darse algún golpe. Recuerde que irá usted varios miles de veces más de prisa que nunca; el corazón, los pulmones, los músculos, el cerebro, todo funcionará con esa rapidez, y puede usted darse un buen golpe sin saber cómo. Usted no notará nada, ¿sabe usted? Se sentirá igual que ahora. Lo único que le pasará es que todo le parecerá que se mueve muchos miles de veces más despacio que antes. Por eso resulta la cosa tan rara.

—¡Dios mío! —dije yo—. ¿Y pretende usted...?

—Ya verá usted —dijo él, alzando un cuentagotas.

Echó una mirada al material de la mesa, y añadió:

—Vasos, agua, todo está listo. No hay que tomar demasiado en el primer ensayo.

El cuentagotas absorbió el precioso contenido del frasco.

—No se olvide de lo que le he dicho —dijo Gibberne, vertiendo las gotas en un vaso de una manera misteriosa—. Permanezca sentado con los ojos herméticamente cerrados y en una inmovilidad absoluta durante dos minutos. Luego me oirá usted hablar.

Añadió un dedo de agua a la pequeña dosis de cada vaso.

—A propósito —dijo—: no deje usted el vaso en la mesa. Téngalo en la mano, descansando ésta en la rodilla. Sí; eso es. Y ahora...

Gibberne alzó su vaso.

—¡Al Nuevo Acelerador! —dije yo.

—¡Al Nuevo Acelerador! —repitió él.

Chocamos los vasos y bebimos, e instantáneamente cerré los ojos. Durante un intervalo indefinido permanecí en una especie de nirvana. Luego oí decir a Gibberne que me despertara, y me estremecí y abrí los ojos. Gibberne seguía en pie en el mismo sitio, y todavía tenía el vaso en la mano. La única diferencia era que este vaso estaba vacío.

—¿Qué? —dije yo.

—¿No nota nada en particular?

—Nada. Si acaso, una ligera sensación de alborozo. Nada más.

—¿Y ruidos?

—Todo está tranquilo —dije yo—. ¡Por Júpiter, sí! Todo está tranquilo, salvo este tenue *pat-pat*, *pat-pat*, como el ruido de la lluvia al caer sobre objetos diferentes. ¿Qué es eso?

—Sonidos analizados —creo que me respondió; pero no estoy seguro.

Lanzó una mirada a la ventana y exclamó:

—¿Ha visto usted alguna vez delante de una ventana una cortina tan inmóvil como ésa?

Seguí la dirección de su mirada y vi el extremo de la cortina, como si se hubiera quedado petrificada con una punta en el aire en el momento de ser agitada vivamente por el viento.

—No —dije yo—; es extraño.

—¿Y esto? —dijo Gibberne, abriendo la mano que tenía el vaso.

Como es natural, yo me sobrecogía, esperando que el vaso se rompiera contra el suelo. Pero, lejos de romperse, ni siquiera pareció moverse; se mantenía inmóvil en el aire.

—En nuestras latitudes —dijo Gibberne—, un objeto que cae recorre, hablando en general, dieciséis pies en el primer segundo de su caída. Este vaso está cayendo ahora a razón de dieciséis pies por segundo. Lo que sucede, ¿sabe usted?, es que todavía no ha transcurrido una centésima de segundo. Esto puede darle una idea de la actividad vital que nos ha dado mi Acelerador.

Y empezó a pasar la mano por encima, por debajo y alrededor del vaso, que caía lentamente. Por último, lo cogió por el fondo, lo atrajo hacia sí y lo colocó con mucho cuidado sobre la mesa.

—¿Eh? —dijo riéndose.

—Esto me parece magnífico —dije yo—, y empecé a levantarme del sillón con gran cautela.

Yo me encontraba perfectamente, muy ligero y a gusto y lleno de absoluta confianza en mí mismo. Todo mi ser funcionaba muy deprisa. Mi corazón, por ejemplo, daba mil latidos por segundo; pero esto no me causaba el menor malestar. Miré por la ventana: un ciclista inmóvil con la cabeza inclinada sobre el guía y una nube inerte de polvo tras la rueda posterior, trataba de alcanzar a un ómnibus lanzado al galope, que no se movía. Yo me quedé con la boca abierta ante este espectáculo increíble.

—Gibberne —exclamé—, ¿cuánto tiempo durará esta maldita droga?

—¡Dios sabe! —repuso él—. La última vez que la tomé me acosté, y se me pasó durmiendo. Le aseguro que estaba asustado. En realidad, debió de durarme unos minutos, que me parecieron horas. Pero al poco rato creo que el efecto disminuye de una manera bastante súbita.

Yo estaba orgulloso de observar que no estaba asustado, debido, tal vez, a que éramos dos los expuestos.

—¿Por qué no salir a la calle? —pregunté yo.

—¿Por qué no?

—La gente se fijará en nosotros.

—De ningún modo. ¡Gracias a Dios! Fíjese usted en que iremos mil veces más deprisa que el juego de manos más rápido que se ha hecho nunca. ¡Vamos! ¿Por dónde salimos? ¿Por la ventana o por la puerta?

Y salimos por la ventana.

Seguramente, de todos los experimentos extraños que yo he hecho o imaginado nunca, o que he leído que habían hecho o imaginado otros, esta pequeña incursión que hice con Gibberne por el parque de Folkestone ha sido el más extraño y el más loco de todos.

Por la puerta del jardín salimos a la carretera, y allí hicimos un minucioso examen del tráfico inmovilizado. El remate de las ruedas y algunas de

las patas de los caballos del ómnibus, así como la
punta del látigo y la mandíbula inferior del cochero, que en ese preciso instante se puso a bostezar,
se movían perceptiblemente; pero el resto del
pesado vehículo parecía inmóvil y absolutamente
silencioso, excepto un tenue ruido que salía de la
garganta de un hombre. ¡Y este edificio petrificado
estaba ocupado por un cochero, un guía y once
viajeros! El efecto de esta inmovilidad mientras
nosotros caminábamos, empezó por parecernos
locamente extraño y acabó por ser desagradable.

Veíamos a personas como nosotros, y, sin
embargo, diferentes, petrificadas en actitudes des-
cuidadas, sorprendidas a la mitad de un gesto. Una
joven y un hombre se sonreían mutuamente, con
una sonrisa oblicua que amenazaba hacerse eterna; una mujer con una pamela de amplias alas
apoyaba el brazo en la barandilla del coche y contemplaba la casa de Gibberne con la impávida
mirada de la eternidad; un hombre se acariciaba el
bigote como una figura de cera, y otro extendía
una mano lenta y rígida, con los dedos abiertos,
hacia el sombrero, que se le escapaba. Nosotros
los mirábamos, nos reíamos de ellos y les hacía-
mos muecas; luego nos inspiraron cierto desagra-
do, y dando media vuelta, atravesamos el camino
por delante del ciclista dirigiéndonos al parque.

—¡Cielo santo! —exclamó de pronto Gibberne—. ¡Mire! Delante de la punta de su dedo extendi-
do, una abeja se deslizaba por el aire batiendo
lentamente las alas y a la velocidad de un caracol
excepcionalmente lento.

A poco llegamos al parque. Allí, el fenóme-
no resultaba todavía más absurdo. La banda estaba

tocando en el quiosco, aunque el ruido que hacía era para nosotros como el de una quejumbrosa carraca, algo así como un prolongado suspiro, que tantas veces se convertía en un sonido análogo al del lento y apagado tic-tac de un reloj monstruoso. Personas petrificadas, rígidas, se hallaban en pie, y maniquíes extraños, silenciosos, de aire fatuo, permanecían en actitudes inestables, sorprendidos en la mitad de un paso durante su recorrido por el césped. Yo pasé junto a un perrito de lanas suspendido en el aire al saltar, y contemplé el lento movimiento de sus patas al caer a tierra.

—¡Oh, mire usted! —exclamó Gibberne.

Y nos detuvimos un instante ante un magnífico personaje vestido con un traje de franela blanca a rayas tenues, con zapatos blancos y un sombrero panamá, que se volvía a guiñar el ojo a dos damas con vestidos claros que habían pasado a su lado. Un guiño, estudiado con el detenimiento que nosotros podíamos permitirnos, es una cosa muy poco atrayente. Pierde todo su carácter de viva alegría, y se observa que el ojo que se guiña no se cierra por completo, y que bajo el párpado aparece el borde inferior del globo del ojo con una tenue línea blanca.

—¡Como el Cielo me conceda memoria —dije yo— nunca volveré a guiñar el ojo!

—Ni a sonreír —añadió Gibberne con la mirada fija en los dientes de las damas.

—Hace un calor infernal —dije yo—. Vayamos más despacio.

—¡Bah! ¡Sigamos! —dijo Gibberne.

Nos abrimos camino por entre las sillas de la avenida. Muchas de las personas sentadas en las sillas parecían bastante naturales en sus actitudes pasivas; pero la faz contorsionada de los músicos no era un espectáculo tranquilizador. Un hombre pequeño, de cara purpúrea, estaba petrificado a la mitad de una lucha violenta por doblar un periódico, a pesar del viento. Encontrábamos muchas pruebas de que todas las gentes desocupadas estaban expuestas a una brisa considerable, que, sin embargo, no existía por lo que a nuestras sensaciones se refería. Nos apartamos un poco de la muchedumbre y nos volvimos a contemplarla.

El espectáculo de toda aquella multitud convertida en un cuadro, con la rígida inmovilidad de figuras de cera, era una maravilla inconcebible. Era absurdo, desde luego; pero me llenaba de un sentimiento exaltado, irracional, de superioridad. ¡Imaginaos qué portento! Todo lo que yo había dicho, pensado y hecho desde que la droga había empezado a actuar en mi organismo había sucedido, en relación con aquellas gentes y con todo el mundo en general, en un abrir y cerrar de ojos.

—El Nuevo Acelerador ... —empecé yo; pero Gibberne me interrumpió.

—Ahí está esa vieja infernal.

—¿Qué vieja?

—Una que vive junto a mi casa. Tiene un perro faldero que no hace más que ladrar. ¡Cielos! ¡La tentación es irresistible!

Gibberne tiene a veces arranques infantiles impulsivos. Antes que yo pudiera discutir con él, arrancaba al infortunado animal de la existencia visible y corría velozmente con él hacia el barranco del parque. Era la cosa más extraordinaria. El pequeño animal no ladró, no se debatió ni dio la más ligera muestra de vitalidad. Se quedó completamente rígido, en una actitud de reposo soñoliento, mientras Gibberne lo llevaba cogido por el cuello. Era como si fuera corriendo con un perro de madera.

—¡Gibberne! —grité yo—. ¡Suéltelo!

Luego dije alguna otra cosa y volví a gritarle:

—Gibberne, si sigue usted corriendo así, se le va a prender fuego la ropa —ya se le empezaba a chamuscar el pantalón.

Gibberne dejó caer su mano en el muslo y se quedó vacilando al borde del barranco.

—Gibberne —grité yo, corriendo tras él—. Suéltelo. ¡Este calor es excesivo! ¡Es debido a nuestra velocidad! ¡Corremos a tres o cuatro kilómetros por segundo!... ¡Y el frotamiento del aire!...

—¿Qué? —dijo Gibberne mirando al perro.

—¡El frotamiento del aire! —grité yo—. El frotamiento del aire. Vamos demasiado deprisa. Parecemos aerolitos. Es demasiado calor. ¡Gibberne! ¡Gibberne! Siento muchos pinchazos y estoy cubierto de sudor. Se ve que la gente se mueve ligeramente. ¡Creo que la droga se disipa! Suelte ese perro.

—¿Eh? —dijo él.

—La droga se disipa —repetí yo—. Estamos abrasando, y la droga se disipa. Yo estoy empapado de sudor.

Gibberne se quedó mirándome. Luego miró a la banda, cuyo lento carraspeo empezaba en verdad a acelerarse. Luego, describiendo con el brazo una curva tremenda, arrojó a lo lejos al perro, que se elevó dando vueltas, inanimado aún, y cayó, al fin, sobre las sombrillas de un grupo de damas que conversaban animadamente. Gibberne me cogió del codo.

—¡Por Júpiter! —exclamó—. Me parece que sí se disipa. Una especie de picor abrasador..., sí. Ese hombre está moviendo el pañuelo de una manera perceptible. Debemos marcharnos de aquí rápidamente.

Pero no pudimos marcharnos con bastante rapidez. ¡Y quizá fuera una suerte! Pues, de lo contrario, hubiéramos corrido, y si hubiéramos corrido, creo que nos hubiésemos prendido fuego. ¡Es casi seguro que nos hubiésemos prendido fuego! Ni Gibberne ni yo habíamos pensado en eso, ¿sabe usted?... Pero antes que hubiéramos echado a correr, la acción de la droga había cesado. Fue cuestión de una ínfima fracción de segundo. El efecto del Nuevo Acelerador cesó como quien corre una cortina, se desvaneció durante el movimiento de una mano. Oí la voz de Gibberne muy alarmada:

—Siéntese —exclamó.

Yo me dejé caer en el césped, al borde del prado, abrasando el suelo. Todavía hay un trozo de hierba quemada en el sitio en que me senté. Al mismo tiempo, la paralización general pareció cesar; las vibraciones desarticuladas de la banda se unieron precipitadamente en una ráfaga de música; los paseantes pusieron el pie en el suelo y continuaron su camino; los papeles y las banderas empezaron a agitarse; las sonrisas se convirtieron en palabras; el personaje que había empezado el guiño lo terminó y prosiguió su camino satisfecho, y todas las personas sentadas se movieron y hablaron.

El mundo entero había vuelto a la vida y empezaba a marchar tan deprisa como nosotros, o, mejor dicho, nosotros no íbamos ya más deprisa que el resto del mundo.

Era como la reducción de la velocidad de un tren al entrar en una estación. Durante uno o dos segundos, todo me pareció que daba vueltas, sentí una ligerísima náusea, y eso fue todo. ¡Y el perrito, que parecía haber quedado suspendido un momento en el aire cuando el brazo de Gibberne le imprimió su velocidad, cayó con súbita celeridad a través de la sombrilla de una dama!

Esto fue nuestra salvación. Menos un anciano corpulento, que estaba sentado en una silla y que ciertamente se estremeció al vernos, luego nos miró varias veces con gran desconfianza, y me parece que acabó por decir algo a su enfermera acerca de nosotros, no creo que ni una sola persona se diera cuenta de nuestra súbita aparición. ¡Plop! Debimos de llegar allí bruscamente. Casi en el acto dejamos de chamuscarnos, aunque la hierba que había debajo de mí desprendía un calor desagradable. La atención de todo el mundo (incluso la de la banda de la Asociación de Recreos, que por primera vez tocó desafinadamente) había sido atraída por el hecho pasmoso, y por el ruido todavía más pasmoso de los ladridos y la gritería que se originó de que un perro faldero gordo y respetable, que dormía tranquilamente del lado este del quiosco de la música, había caído súbitamente a través de la sombrilla de una dama que se encontraba en el lado opuesto, llevando los pelos ligeramente chamuscados a causa de la extrema velocidad de su viaje a través del aire. ¡Y en estos días absurdos, en que todos tratamos de ser todo lo psíquicos, lo cándidos y lo supersticiosos que sea posible! La gente se levantó atropelladamente, tirando las sillas, y el guarda del parque acudió. Ignoro cómo se arreglaría la cuestión; estábamos demasiado deseosos de desligarnos del asunto y de rehuir las miradas del anciano de la silla para entretenernos en hacer minuciosas investigaciones. En cuanto estuvimos lo suficientemente fríos y recobrados de nuestro vértigo, nuestras náuseas y nuestra confusión de espíritu, nos levantamos, y bordeando la muchedumbre, dirigimos nuestros pasos por el camino del hotel de la metrópoli hacia la casa de Gibberne. Pero entre el tumulto oí muy distintamente al caballero que estaba sentado junto a la dama de la sombrilla rota, que dirigía amenazas e insultos injustificados a uno de los inspectores de las sillas.

—Si usted no ha tirado el perro —le decía—, ¿quién ha sido?

El súbito retorno del movimiento y del ruido familiar, y nuestra natural ansiedad acerca de nosotros mismos (nuestras ropas estaban todavía terriblemente calientes, y la parte anterior de los pantalones blancos de Gibberne estaba chamuscada y ennegrecida), me impidieron hacer sobre todas estas cosas las minuciosas observaciones que hubiera querido. En realidad, no hice ninguna observación de algún valor científico sobre este retorno. La abeja, desde luego, se había marchado. Busqué al ciclista con la mirada; pero ya se había perdido de vista cuando nosotros llegamos al camino alto de Sandgate, o quizá nos lo ocultaban los carruajes; sin embargo, el ómnibus de los viajeros, con todos sus ocupantes vivos y agitados ya, marchaba a buen paso cerca de la iglesia próxima.

Al entrar en la casa observamos que el antepecho de la ventana por donde habíamos saltado al salir estaba ligeramente chamuscado, que las huellas de nuestros pies en la grava del sendero eran de una profundidad insólita.

Éste fue mi primer experimento del Nuevo Acelerador. Prácticamente habíamos estado corriendo de un lado a otro, y diciendo y haciendo toda clase de cosas, en el espacio de uno o dos segundos de tiempo. Habíamos vivido media hora mientras la banda había tocado dos compases. Pero el efecto causado en nosotros fue que el mundo entero se había detenido para que nosotros lo examináramos a gusto. Teniendo en cuenta todas las cosas, y particularmente nuestra temeridad al aventurarnos fuera de la casa, el experimento pudo muy bien haber sido mucho más desagradable de lo que fue. Demostró, sin duda, que Gibberne tiene mucho que aprender aún antes que su preparación sea de fácil manejo; pero su viabilidad quedó demostrada ciertamente de una manera indiscutible.

Después de esta aventura, Gibberne ha ido sometiendo constantemente a control el uso de la droga, y varias veces, y sin ningún mal resultado, he tomado yo bajo su dirección dosis medidas, aunque he de confesar que no me he vuelto a aventurar a salir a la calle mientras me encuentro bajo su influencia. Puedo mencionar, por ejemplo, que esta historia ha sido escrita bajo su influencia, de un tirón y sin haberme interrumpido nada más que para tomar un poco de chocolate. La empecé a las seis y veinticinco, y en este momento mi reloj marca la media y un minuto. La comodidad de asegurarse una larga e ininterrumpida cantidad de trabajo en medio de un día lleno de compromisos, nunca podría elogiarse demasiado.

Gibberne está trabajando ahora en el manejo cuantitativo de su preparación, teniendo siempre en cuenta sus distintos efectos en tipos de diferente constitución. Luego espera descubrir un Retardador para diluir la potencia actual, más bien excesiva, de su droga. El Retardador, como es natural, causará el efecto contrario al Acelerador. Empleado solo, permitirá al paciente convertir en unos segundos muchas horas de tiempo ordinario, y conservar así una inacción apática, una fría ausencia de vivacidad, en un ambiente muy agitado o irritante. Juntos, los dos descubrimientos han de originar necesariamente una completa revolución en la vida civilizada. Éste será el principio de nuestra liberación del Vestido del Tiempo, del que habla Carlyle. Mientras este Acelerador nos permitirá concentrarnos con formidable potencia en un momento u ocasión que exija el máximo rendimiento de nuestro vigor y nuestros sentidos, el Retardador nos permitirá pasar en tranquilidad pasiva las horas de penalidad o de tedio. Quizá pecaré de optimista respecto al Retardador, que, en realidad, no ha sido descubierto aún; pero en cuanto al Acelerador, no hay ninguna duda posible. Su aparición en el mercado en forma cómoda, controlable y asimilable, es cosa de unos meses. Se le podrá adquirir en todas las farmacias y droguerías, en pequeños frascos verdes, a un precio elevado, pero de ningún modo excesivo si se consideran sus extraordinarias cualidades. Se llamará Acelerador

Nervioso de Gibberne, y éste espera hallarse en condiciones de facilitarlo de tres distintas potencias: una de doscientos, otra de novecientos, y otra de mil grados, y se distinguirán etiquetas amarillas, rosas y blancas, respectivamente.

No hay duda de que su uso hace posible un gran número de cosas muy extraordinarias, pues, desde luego, pueden efectuarse impunemente los actos más notables y hasta quizá los más criminales, escurriéndose de este modo, por decirlo así, a través de los intersticios del tiempo. Como todas las preparaciones potentes, ésta será susceptible de abuso.

No obstante, nosotros hemos discutido a fondo este aspecto de la cuestión, y hemos decidido que eso es puramente un problema de jurisprudencia médica completamente al margen de nuestra jurisdicción. Nosotros fabricaremos y venderemos el Acelerador, y en cuanto a las consecuencias..., ya veremos.

# Exilio

Edmond Hamilton

¡Lo que daría ahora por no haber hablado de ciencia ficción aquella noche! Si no lo hubiéramos hecho, en estos momentos no estaría obsesionado con esa bizarra e imposible historia que nunca podrá ser comprobada ni refutada.

Pero tratándose de cuatro escritores profesionales de relatos fantásticos, supongo que el tema resultaba ineludible. A pesar de que logramos posponerlo durante toda la cena y los tragos que tomamos después, Madison, gustoso, contó a grandes rasgos su partida de caza, y luego Brazell inició una discusión sobre los pronósticos de los Dodgers. Más tarde me vi obligado a desviar la conversación al terreno de la fantasía.

No era mi intención hacer algo así. Pero había bebido un escocés de más, y eso siempre me vuelve analítico. Y me divertía la perfecta apariencia de que los cuatro éramos personas comunes y corrientes.

—Camuflaje protector, eso es —anuncié—. ¡Cuánto nos esforzamos por actuar como chicos buenos, normales y ordinarios!

Brazell me miró, un poco molesto por la abrupta interrupción.

—¿De qué estás hablando?

—De nosotros cuatro —respondí—. ¡Qué espléndida imitación de ciudadanos hechos y derechos! Pero no estamos contentos con eso... ninguno de nosotros. Por el contrario, estamos violentamente insatisfechos con la Tierra y con todas sus obras; por eso nos pasamos la vida creando uno tras otro, mundos imaginarios.

—Supongo que el pequeño detalle de hacerlo por dinero no tiene nada que ver —inquirió Brazell escéptico.

—Claro que sí —admití—. Pero todos creamos nuestros mundos y pueblos imposibles muchísimo antes de escribir una sola línea, ¿verdad? Incluso desde nuestra infancia, ¿no? Por eso no estamos a gusto aquí.

—Nos sentiríamos mucho peor en algunos de los mundos que describimos —replicó Madison.

En ese momento, Carrick, el cuarto del grupo, intervino en la conversación. Estaba sentado en silencio, como de costumbre, copa en mano, meditabundo, sin prestarnos atención.

Carrick era raro en muchos aspectos. Sabíamos poco de él, pero lo apreciábamos y admirábamos sus historias. Había escrito algunos relatos fascinantes, minuciosamente elaborados en su totalidad sobre un planeta imaginario.

—Lo mismo me ocurrió a mí en una ocasión —dijo a Madison.

—¿Qué? —preguntó Madison.

—Lo que acabas de sugerir... Una vez escribí sobre un mundo imaginario y luego me vi obligado a vivir en él —contestó Carrick.

Madison soltó una carcajada.

—Espero que haya sido un sitio más habitable que los escalofriantes planetas en los que yo planteo mis embustes.

Carrick ni siquiera sonrió.

—De haber sabido que viviría en él, lo habría creado muy distinto —murmuró.

Brazell, tras dirigir una mirada significativa a la copa vacía de Carrick, nos guiñó un ojo y pidió, con voz melosa:

—Cuéntanos cómo fue, Carrick.

Carrick no apartó la mirada de su copa, mientras la giraba entre sus dedos al hablar. Se detenía entre una frase y otra.

"Sucedió inmediatamente después de que me mudara junto a la Gran Central de Energía. A primera vista, parecía un lugar ruidoso, pero, en realidad, se vivía muy tranquilo en las afueras de la ciudad. Y yo necesitaba tranquilidad para escribir mis historias.

"Me dispuse a trabajar en la nueva serie que había comenzado, una colección de relatos que ocurrirían en aquel mundo imaginario. Empecé por crear detalladamente todas las características físicas de ese mundo, y del universo que lo contenía. Pasé todo el día concentrado en ello. Y cuando terminé, ¡algo en mi mente hizo *clic*!

"Esa breve y extraña sensación me pareció una súbita materialización. Me quedé allí, inmovilizado, al tiempo que me preguntaba si estaría enloqueciendo, pues tuve la repentina seguridad de que el mundo que yo había creado durante todo el día acababa de cristalizar en una existencia concreta, en alguna parte.

"Por supuesto, ignoré esa extraña idea, salí de casa y me olvidé del asunto. Pero al día siguiente sucedió de nuevo. Dediqué la mayor parte del tiempo a la creación de los habitantes del mundo de mi historia. Sin duda los había imaginado humanos, aunque decidí que no fueran demasiado civilizados, pues eso imposibilitaría los conflictos y la violencia indispensable para mi trama.

"Así pues, había gestado mi mundo imaginario, un mundo de gente que estaba a medio civilizar. Imaginé todas sus crueldades y supersticiones. Erigí sus bárbaras y pintorescas ciudades. Y, justo cuando terminé, aquel *clic* resonó de nuevo en mi mente.

"Entonces sí me asusté de verdad, pues sentí con mayor fuerza que la primera vez esa extraña convicción de que mis sueños se habían materializado para dar paso a una realidad sólida. Sabía que era una locura; sin embargo, en mi mente tenía la increíble certeza. No podía abandonar esa idea.

"Traté de convencerme de descartar tan loca convicción. Si en verdad había creado un mundo y un universo con sólo imaginarlos, ¿dónde se hallaban? Desde luego no en mi propio cosmos. No podría contener dos universos..., completamente distintos el uno del otro.

"Pero, ¿y si este mundo y este universo de mi imaginación se habían concretado en la realidad en otro cosmos vacío? ¿Un cosmos localizado en una dimensión diferente a la mía? ¿Uno que contuviera solamente átomos libres, materia informe que no había adquirido forma hasta que, de alguna manera, mis concentrados pensamientos les hicieron tomar las imágenes que yo había soñado?

"Medité esa idea de la extraña manera en que se aplican las leyes de la lógica a las cosas imposibles. ¿Por qué los relatos que yo imaginaba no se habían vuelto realidad en ocasiones anteriores y sólo ahora habían empezado a hacerlo? Bueno, para eso había una explicación plausible. Vivía cerca de la Gran Central de Energía. Alguna insospechada corriente de energía emanada de ella dirigía mi imaginación condensada, como una fuerza superamplificadora, hacia un cosmos vacío donde conmocionó la masa informe y la hizo apropiarse de las formas que yo soñaba.

"¿Creía en eso? No. Por supuesto que no, pero lo sabía. Hay una gran diferencia entre el conocimiento y la creencia; como alguien dijo: 'Todos los hombres saben que un día morirán y ninguno cree que llegará ese día'. Pues conmigo ocurrió lo mismo. Me daba cuenta que no era posible que mi mundo fantástico hubiese adquirido una existencia física en un cosmos dimensional diferente, aunque, al mismo tiempo, yo tenía la extraña convicción de que así era.

"Y entonces se me ocurrió algo que me pareció entretenido e interesante. ¿Y si me creaba a mí mismo en ese otro mundo? ¿También sería yo real en él? Lo intenté. Me senté ante mi escritorio y me imaginé a mí mismo como uno más entre los millones de individuos de ese mundo ficticio; pude crear todo un trasfondo familiar e histórico coherente para mí en aquel lugar. ¡Y algo en mi mente hizo *clic*!"

Carrick hizo una pausa. Todavía contemplaba la copa vacía que agitaba lentamente entre sus dedos.

Madison le incitó a continuar:

Madison le incitó a continuar:

—Y seguro despertaste allí y una hermosa muchacha se acercó a ti, y preguntaste: "¿Dónde estoy?"

—No sucedió así —respondió Carrick sombrío—. No fue así en absoluto. Desperté en ese otro mundo, sí. Pero no fue como un despertar real. Simplemente, aparecí allí de repente.

"Seguía siendo yo. Pero era el yo imaginado por mí para ese otro mundo. Se trataba de otro yo que siempre había vivido allí..., del mismo modo que sus antepasados. Verán, yo lo había creado todo.

"Y mi otro yo era tan real en ese mundo imaginario creado por mí como lo había sido en el mío propio. Eso fue lo peor. Todo en ese mundo a medio civilizar era tan vulgar dentro de su realidad...".

Hizo una nueva pausa.

"Al principio, me resultó extraño. Caminé por las calles de aquellas bárbaras ciudades y miré los rostros de las personas con un imperioso deseo de gritar en voz alta: '¡Yo los imaginé a todos! ¡Ninguno de ustedes existía hasta que yo los soñé!'.

"Sin embargo, no lo hice. No me habrían creído. Para ellos, yo no era más que un miembro insignificante de su raza. ¿Cómo podían creer que ellos, sus tradiciones y su historia, su mundo y su universo, habían surgido súbitamente gracias a mi imaginación?

"Cuando cesó mi turbación inicial, me desagradó el lugar. Lo había creado demasiado bárbaro. Las salvajes violencias y crueldades que me habían parecido tan seductoras como material para una historia, eran aberrantes y repulsivas al vivirlas en mi propia carne. Sólo deseaba volver a mi mundo.

"¡Y no pude regresar! No había forma. Tuve la vaga sensación de que podría imaginarme de vuelta en mi mundo así como había imaginado mi viaje a ese otro. Pero fue en vano. La extraña fuerza que había propiciado el milagro no funcionaba en la dirección contraria.

"Lo pasé bastante mal al percatarme de que estaba atrapado en un mundo desagradable, extenuado y bárbaro. Primero pensé en suicidarme. Sin embargo, no lo hice. El hombre se adapta a todo. Y yo me acoplé lo mejor que pude al mundo creado por mí."

—¿Qué hiciste allí? Quiero decir: ¿qué función cumpliste? —preguntó Brazell.

Carrick se encogió de hombros.

—No dominaba las habilidades y destrezas del mundo que había creado. Sólo poseía mi propio oficio... el de contar historias.

Empecé a sonreír.

—¿No querrás decir que empezaste a escribir historias fantásticas?

Él asintió, sombrío.

—No me quedó más remedio. Era lo único que podía hacer. Escribí historias sobre mi propio mundo real. Para esa gente, mis relatos eran de una imaginación desbordante... y les gustaron.

Nos echamos a reír. Pero Carrick permaneció mortalmente serio.

Madison llevó la broma hasta sus últimas consecuencias.

—¿Y cómo te las arreglaste para regresar finalmente a casa desde ese otro mundo que habías creado?

—¡Nunca regresé a casa! —respondió Carrick con un amargo suspiro.

# El ruido de un trueno

Ray Bradbury

El letrero de la pared parecía temblar bajo una deslizante película de agua caliente. Eckels sintió sus ojos parpadear, y el letrero ardió en esta momentánea oscuridad.

SAFARI EN EL TIEMPO, S. A.
SAFARIS A CUALQUIER AÑO
DEL PASADO
USTED ELIGE EL ANIMAL
NOSOTROS LO LLEVAMOS ALLÍ
USTED LO MATA

Una flema tibia se formó en la garganta de Eckels; tragó saliva y la empujó hacia abajo. Los músculos de su boca formaron una sonrisa mientras alzaba lentamente la mano, y en ésta ondeó un cheque de diez mil dólares ante el hombre del escritorio.

—¿Este safari garantiza que yo regrese vivo?

—No garantizamos nada —dijo el oficial—, excepto los dinosaurios. —Se volvió—. Éste es el señor Travis, su guía de Safari en el Pasado. Él le dirá

a qué debe disparar y en qué momento. Si le dice
que no debe disparar, no dispare. Si desobedece
sus instrucciones, hay una severa multa de otros
diez mil dólares, además de una posible acción del
gobierno a su regreso.

Eckels vio en el otro extremo de la vasta
oficina la confusa maraña zumbante de cables y
cajas de acero, y la aurora ya anaranjada, ya plateada, ya azul. Había un sonido como de una gigantesca hoguera donde ardía el tiempo; todos los
años y todos los calendarios de pergamino, todas
las horas apiladas en llamas.

El roce de una mano, y este fuego se volvería, maravillosamente y en un instante, sobre
sí mismo. Eckels recordó las palabras de los anun-
cios en la carta. De las brasas y cenizas, del polvo
y los carbones, como doradas salamandras, sal-
tarán los viejos años, los verdes años; las rosas
endulzarán el aire, las canas se volverán negro
ébano, las arrugas se desvanecerán; todo será de
nuevo semilla, huirá de la muerte, retornará a
sus principios; los soles se elevarán en los cielos
de occidente y se ocultarán en orientes glorio-
sos, las lunas se devorarán a sí mismas, todas las
cosas se meterán unas en otras como cajas chi-
nas, los conejos entrarán en los sombreros, todo
volverá a la fresca muerte, la muerte de la semilla, la muerte verde, al tiempo anterior al principio. Bastará el roce de una mano, el más leve
roce de una mano.

—¡Increíble! —murmuró Eckels con la luz
de la máquina iluminando su delgado rostro—.Una
verdadera máquina del tiempo. —Sacudió la cabeza—. Te hace pensar. Si las elecciones hubieran

ido mal ayer, yo quizá estaría aquí huyendo de los resultados. Gracias a Dios ganó Keith. Será un buen presidente de los Estados Unidos.

—Sí —dijo el hombre detrás del escritorio.

—Tenemos suerte. Si Deutscher hubiese ganado, tendríamos la peor de las dictaduras. Es el antitodo; militarista, anticristo, antihumano, antiintelectual. La gente nos llamó, ya sabe, y entre broma y broma decían que si Deutscher se convertía en presidente querían ir a vivir a 1492. Por supuesto, no nos ocupamos de organizar evasiones, sino safaris. De todos modos, el presidente es Keith. Ahora su única preocupación es...

Eckels terminó la frase:

—Matar mi dinosaurio.

—Un *Tyrannosaurus rex*. El Lagarto del Trueno, el más increíble monstruo de la historia. Firme este permiso. Si le pasa algo, no somos responsables. Esos dinosaurios son voraces.

Eckels enrojeció, enojado.

—¡Quiere asustarme!

—Francamente, sí. No queremos que vaya nadie que entre en pánico al primer tiro. El año pasado murieron seis jefes de safaris y una docena de cazadores. Estamos aquí para darle la mayor emoción que un cazador pueda pretender. Lo enviaremos sesenta millones de años atrás para que disfrute de la mejor cacería de todos los tiempos. Su cheque está todavía aquí. Rómpalo.

El señor Eckels miró el cheque. Se le crispaban los dedos.

—Buena suerte —dijo el hombre detrás del escritorio—. Señor Travis, es todo suyo.

Cruzaron el salón silenciosamente, llevando sus armas con ellos, hacia la máquina, hacia el metal plateado y la luz atronadora.

Primero un día y luego una noche y luego un día y luego una noche, y luego día-noche-día-noche-día. ¡Una semana, un mes, un año, una década! 2055, 2019. ¡1999! ¡1957! ¡Desaparecieron! La máquina rugió.

Se pusieron los cascos de oxígeno y probaron los intercomunicadores.

Eckels se balanceaba en el acojinado asiento, con el rostro pálido y la mandíbula tensa. Sintió un temblor en los brazos, bajó los ojos y vio que sus manos apretaban el rifle. Había otros cuatro hombres en la máquina. Travis, el jefe del safari, Lesperance, su asistente, y otros dos cazadores, Billings y Kramer. Se miraron unos a otros y los años centellearon a su alrededor.

—¿Pueden estos rifles matar a un dinosaurio? —se oyó decir a Eckels.

—Si da usted en el sitio preciso —dijo Travis por la radio del casco. —Algunos dinosaurios tienen dos cerebros, uno en la cabeza y otro en la columna vertebral. Nos mantenemos alejados de ésos. Sería tentar a la suerte. Tire las primeras dos veces a los ojos, si puede, cegándolo, y luego dispare al cerebro.

La máquina aulló. El tiempo era una película que corría hacia atrás. Pasaron soles, y luego diez millones de lunas huyeron tras ellos.

—Imagínese —dijo Eckels—. Los cazadores de todos los tiempos nos envidiarían hoy. Al lado de esto, África parece Illinois.

La máquina disminuyó la velocidad; su grito se convirtió en un susurro. La máquina se detuvo.

El sol se detuvo en el cielo.

La niebla que había envuelto a la máquina se desvaneció, y allí se encontraban ellos, en un tiempo viejo, un tiempo muy viejo en verdad, tres cazadores y dos jefes del safari con sus metálicos rifles azules sobre las rodillas.

—Cristo no ha nacido aún —dijo Travis—. Moisés no ha subido a la montaña a hablar con Dios. Las pirámides están esperando ser construidas. Recuerde que Alejandro, César, Napoleón, Hitler... ninguno de ellos existe.

Los hombres asintieron.

—Eso —señaló el señor Travis— es la jungla de sesenta millones dos mil cincuenta y cinco años antes del presidente Keith.

Les mostró un sendero de metal que se perdía en la verde selva, sobre una sucesión de pantanos, entre palmeras y helechos gigantes.

—Y eso —dijo— es el sendero, instalado por Safari en el Tiempo para su uso. Flota a diez centímetros del suelo. No toca ni siquiera una brizna, una flor o un árbol. Es de un metal antigravitatorio. El propósito del sendero es impedir que toquen este mundo del pasado. No se salgan del sendero. Repito. *No se salgan.* ¡Por ningún motivo! Si se caen del sendero hay una multa. Y no tiren contra ningún animal que nosotros no aprobemos.

—¿Por qué? —preguntó Eckels.

Estaban en la antigua selva. Unos pájaros lejanos gritaban en el viento, y había un olor de alquitrán y de viejo mar salado, hierbas húmedas y flores del color de la sangre.

—No queremos cambiar el futuro. Nosotros no pertenecemos a este mundo del pasado. Al gobierno *no le gusta* que estemos aquí. Tenemos que pagarles mucho dinero para conservar nuestras franquicias. Una máquina del tiempo es un asunto delicado. Podemos matar, sin darnos cuenta, un animal importante, un pajarito, una cucaracha, incluso una flor, y así destruir un eslabón fundamental en la evolución de las especies.

—No me queda muy claro —dijo Eckels.

—Muy bien —continuó Travis—, digamos que accidentalmente matamos aquí un ratón. Eso significa destruir todas las futuras familias de este ratón en particular, ¿entiende?

—Entiendo.

—¡Y todas las familias de las familias de ese único ratón! Con un pisotón aniquila usted primero uno, luego una docena, luego mil, un millón, ¡un billón de posibles ratones!

—Bueno, se mueren ¿y qué? —dijo Eckels.

—¿Y qué? —gruñó Travis—. Bueno, ¿qué pasa con los zorros que necesitarán esos ratones para sobrevivir? Por falta de diez ratones muere un zorro. Por falta de diez zorros, un león muere de hambre. Por falta de un león, todo tipo de insectos, buitres, infinitos billones de formas de vida son arrojadas al caos y la destrucción. Eventualmente todo se reduce a esto: cincuenta y nueve millones de años después, un cavernícola, uno de la única docena en *todo el mundo*, sale a cazar un jabalí o un tigre dientes de sable para alimentarse. Pero usted, amigo, ha *pisado* a todos los tigres de esa zona, al haber pisado *un* solo ratón. Así que el cavernario muere de hambre. Y el cavernario, no lo olvide, no es desechable, ¡no! *Es toda una futura nación*. De él nacerán diez hijos. De *ellos* nacerán cien hijos, y así hasta formar una civilización. Destruya usted a este hombre, y destruye usted una raza, un pueblo, toda una historia de vida. Es como asesinar a uno de los nietos de Adán. Su pie sobre un ratón podría desencadenar un terremoto, y sus efectos sacudirían nuestra tierra y nuestros destinos a través del tiempo, hasta sus inicios. Con la muerte de ese cavernícola, un billón de hombres no nacidos son ahogados en el vientre. Quizás Roma nunca se erija sobre las siete colinas. Quizás Europa sea para siempre un oscuro bosque, y sólo Asia crezca saludable y prolífica. Pise un ratón y aplaste las pirámides. Pise un ratón y dejará su huella, como el Gran Cañón, en la eternidad. La reina Isabel quizá no nacerá nunca, Washington quizá no cruzará el Delaware, tal vez nunca habrá un país llamado Estados Unidos. Así que tenga cuidado. No se salga del sendero. ¡*Nunca* pise afuera!

—Ya veo —dijo Eckels—. Ni siquiera debemos tocar la hierba.

—Exacto. Aplastar ciertas plantas podría solamente sumar factores infinitesimales. Pero un pequeño error aquí se multiplicaría en sesenta millones de años hasta alcanzar proporciones extraordinarias. Por supuesto, quizás nuestra teoría esté equivocada. Quizás nosotros *no podamos* cambiar el tiempo. O quizás sólo pueda cambiarse de modos muy sutiles. Quizás un ratón muerto aquí provoque un desequilibrio entre los insectos de allá, después una desproporción en una población, una mala cosecha luego, una depresión, hambruna y, finalmente, un cambio en la conducta social de lejanos países. Algo mucho más sutil. Quizás sólo un suave aliento, un murmullo, un cabello, polen en el aire, un cambio tan, tan leve que uno podría notarlo sólo observando muy de cerca. ¿Quién lo sabe? ¿Quién puede realmente decir que lo sabe? Nosotros no. Sólo estamos adivinando. Pero mientras no sepamos con seguridad si nuestros viajes por el tiempo pueden terminar en un gran estruendo o en un imperceptible crujido en la historia, tenemos que tener mucho cuidado. Esta máquina, este sendero, sus cuerpos y sus ropas han sido esterilizados, como ya saben, antes del viaje. Llevamos estos cascos de oxígeno para no introducir nuestras bacterias en una antigua atmósfera.

—¿Cómo sabremos qué animales matar?

—Están marcados con pintura roja —dijo Travis—. Hoy, antes de nuestro viaje, enviamos aquí a Lesperance con la máquina. Vino a esta Era particular y siguió a ciertos animales.

—¿Para estudiarlos?

—Exacto —dijo Lesperance—. Los seguí a lo largo de toda su existencia, observando cuáles vivían por más tiempo. Muy pocos. Cuántas veces se acoplaban. Pocas. La vida es breve. Cuando encontraba alguno que iba a morir aplastado por un árbol, u otro que se ahogaba en un pozo de alquitrán, anotaba la hora exacta, el minuto y el segundo. Le arrojaba una bomba de pintura que le dejaba un parche rojo en el costado. No podemos equivocarnos. Luego mido nuestra llegada al pasado de manera que nos encontremos con el monstruo no más de dos minutos antes de su muerte. De este modo, sólo matamos animales sin futuro, que nunca volverán a acoplarse. ¿Comprende lo *cuidadosos* que somos?

—Pero si ustedes vinieron esta mañana —dijo Eckels ansiosamente—, debían haberse encontrado con nosotros, con nuestro safari. ¿Qué ocurrió? ¿Tuvimos éxito? ¿Salimos todos... vivos?

Travis y Lesperance se miraron.

—Eso sería una paradoja —dijo Lesperance—. El tiempo no permite esas confusiones... cuando un hombre se encuentra consigo mismo. Si amenaza una situación así, el tiempo se hace a un lado. Como un avión que cae en una bolsa de aire. ¿Sintió usted ese salto de la máquina, poco antes de nuestra llegada? Estábamos cruzándonos con nosotros mismos que volvíamos al futuro. No vimos nada. No hay modo de saber si esta expedición tuvo éxito, si cazamos nuestro monstruo, o si todos nosotros —y quiero decir usted, señor Eckels— salimos con vida.

Eckels sonrió débilmente.

—Dejemos esto —dijo Travis bruscamente—. ¡Todos de pie!

Se prepararon a dejar la máquina.

La jungla era alta y la jungla era ancha y la jungla era todo el mundo para siempre y por siempre. Sonidos como música y sonidos como alfombras voladoras llenaban el cielo, los pterodáctilos que volaban con cavernosas alas grises, murciélagos gigantescos nacidos del delirio y de una noche febril. Eckels, manteniendo el equilibrio en el estrecho sendero, apuntó con su rifle, bromeando.

—¡No haga eso! —dijo Travis—. ¡No apunte ni siquiera en broma, maldita sea! Si se le disparara el arma...

Eckels enrojeció.

—¿Dónde está nuestro *Tyrannosaurus?*

Lesperance miró su reloj de pulsera.

—Adelante. Nos cruzaremos con él en sesenta segundos. ¡Busque la pintura roja! No dispare hasta que se lo digamos. Quédese en el sendero. ¡Quédese en el sendero!

Siguieron caminando en el viento de la mañana.

—Qué raro —murmuró Eckels—. Allá adelante, a sesenta millones de años, ha pasado el día de las elecciones. Keith es presidente. Todos celebran. Y aquí, ellos no existen aún. Las cosas que nos preocuparon durante meses, toda una vida, no han nacido ni han sido pensadas todavía.

—¡Quiten el seguro, todos! —ordenó Travis—. Usted dispare primero, Eckels. Segundo, Billings. Tercero, Kramer.

—He cazado tigres, jabalíes, búfalos, elefantes, pero ahora, *esto* sí es cazar —dijo Eckels—. Estoy temblando como un niño.

—¡Ah! —dijo Travis.

Todos se detuvieron.

Travis alzó una mano.

—Ahí adelante —susurró—. En la niebla. Ahí está. Ahí está Su Alteza Real.

La jungla era inmensa y estaba llena de gorjeos, crujidos, murmullos y suspiros.

De pronto, todo cesó, como si alguien hubiese cerrado una puerta.

Silencio.

El ruido de un trueno.

De la niebla, a cien metros de distancia, salió el *Tyrannosaurus rex.*

—Es —murmuró Eckels—. Es...

—¡Cállese!

Venía a grandes trancos, sobre patas bien lubricadas y elásticas. Se alzaba diez metros por encima de la mitad de los árboles, un gran dios del mal, apretando las delicadas garras de relojero contra su oleoso pecho de reptil. Cada pata inferior era un pistón, quinientos kilos de hueso blanco, hundidos en gruesas cuerdas de músculos, envainados en una piel centelleante y áspera, como la cota de malla de un terrible guerrero. Cada muslo era una tonelada de carne, marfil y acero. Y de la gran caja de aire del torso colgaban los dos brazos delicados, brazos con manos que podían alzar y examinar a los hombres como juguetes, mientras el cuello de serpiente se enrollaba sobre sí mismo. Y la cabeza, una tonelada de piedra esculpida, se levantaba fácilmente hacia el cielo. En la boca entreabierta exhibía una cerca de dientes como dagas. Los ojos giraban en las órbitas, como huevos de avestruz que nada expresaban, excepto hambre. Cerraba la boca en una mueca mortuoria. Corría, y los huesos de su pelvis tiraban árboles y arbustos, y sus pies se hundían en la tierra dejando huellas de quince centímetros de profundidad. Corría como si diese unos escurridizos pasos de ballet, demasiado erecto y en equilibrio para sus diez toneladas. Entró fatigadamente en el área soleada, y sus hermosas manos de reptil tantearon el aire.

—¡Dios mío! —Eckels torció la boca—. Podría levantarse y alcanzar la luna.

—¡Cállese! —atajó bruscamente Travis—. Todavía no nos ha visto.

—No podemos matarlo. —Eckels emitió serenamente este veredicto, como si fuese indiscutible. Había sopesado la evidencia y ésta era su decisión. El arma en sus manos parecía un rifle de aire.

—Hemos sido unos locos. Esto es imposible.

—¡Cállese! —siseó Travis.

—Una pesadilla.

—Vúelvase —ordenó Travis—. Camine tranquilamente hasta la máquina. Le devolveremos la mitad de su dinero.

—No imaginé que sería tan *grande* —dijo Eckels—. Calculé mal. Eso es todo. Y ahora quiero irme.

—¡Ya nos vio!

—¡Ahí está la pintura roja en su pecho!

El Lagarto Tirano se levantó. Su piel acorazada brilló como mil monedas verdes. Las monedas, con costras de lama, humeaban. En la lama se movían diminutos insectos, de modo que todo el cuerpo parecía retorcerse y ondular, aun cuando el monstruo no se moviera. Resopló. Un hedor de carne cruda cruzó la jungla.

—Sáquenme de aquí —dijo Eckels—. Nunca antes fue como ahora. Siempre supe que saldría vivo. Tuve buenos guías, buenos safaris y seguridad. Esta vez me he equivocado. Me he encontrado con mi igual, y lo admito. Esto es demasiado para mí.

—No corra —dijo Lesperance—. Sólo vúelvase. Ocúltese en la máquina.

—Sí—. Eckels se veía aturdido. Se miró los pies como si tratara de hacerlos moverse. Lanzó un gruñido de impotencia.

—¡Eckels!

Eckels dio unos cuantos pasos, parpadeando, arrastrando los pies.

—¡Por allí no!

El monstruo, al advertir un movimiento, se lanzó hacia adelante con un rugido terrible. Cubrió cien metros en cuatro segundos. Los rifles se alzaron y escupieron fuego. De la boca del monstruo salió un torbellino que los envolvió con un olor de lama y sangre vieja. El monstruo rugió, y de nuevo sus dientes brillaron al sol.

Sin mirar atrás, Eckels caminó ciegamente hasta el borde del sendero, con el rifle colgándole de los brazos. Salió del sendero y caminó, sin saberlo, por la jungla. Sus pies se hundieron en un musgo verde. Lo llevaban las piernas, y se sintió solo y alejado de lo que ocurría atrás.

Los rifles dispararon otra vez. Su sonido se perdió en chillidos y truenos de lagarto. La gran palanca de la cola del reptil se alzó y se sacudió. Los árboles estallaron en nubes de hojas y ramas. El monstruo retorció sus manos de joyero y las bajó como para acariciar a los hombres, para partirlos en dos, aplastarlos como cerezas, meterlos entre sus dientes y en su rugiente garganta. Sus ojos de guijarro bajaron a la altura de los hombres. Ellos vieron sus imágenes reflejadas. Dispararon sus armas contra las pestañas metálicas y los centelleantes iris negros.

Como un ídolo de piedra, como una avalancha en una montaña, *Tyrannosaurus* cayó. Con un trueno, se abrazó a unos árboles y los arrastró en su caída. Torció y quebró el sendero de metal. Los hombres retrocedieron y se alejaron. El cuerpo golpeó el suelo, diez toneladas de piedra y carne frías. Los rifles dispararon. El monstruo azotó el aire con su cola acorazada, retorció sus mandíbulas de serpiente, y no se movió más. Una fuente de sangre le brotó de la garganta. Adentro, en algún lugar, estalló un saco de fluidos. Unas bocanadas nauseabundas empaparon a los cazadores. Los hombres se quedaron mirándolo, rojos y resplandecientes.

El trueno se apagó.

La jungla estaba en silencio. Luego de la avalancha, una verde paz. Luego de la pesadilla, la mañana.

Billings y Kramer se sentaron en el sendero y vomitaron. Travis y Lesperance, de pie, sosteniendo aún los rifles humeantes, maldecían continuamente.

En la máquina del tiempo, Eckels yacía tembloroso boca abajo. Había encontrado el camino de vuelta al sendero y había subido a la máquina.

Travis se acercó, lanzó una mirada a Eckels, sacó unos trozos de algodón de una caja metálica y volvió junto a los otros, sentados en el sendero.

—Límpiense.

Limpiaron la sangre de los cascos, comenzaron a maldecir también. El monstruo yacía como una colina de carne sólida. En su interior uno podía oír los suspiros y murmullos mientras sus cámaras más recónditas morían, y los órganos dejaban de funcionar y los líquidos corrían un último instante de un receptáculo a un saco, al bazo, y todo se clausuraba para siempre. Era como estar junto a una locomotora chocada o una excavadora de vapor al final del día, cuando todas las válvulas se abren o se cierran herméticamente. Los huesos crujían.

La propia carne, el tonelaje de su carne, peso muerto ya sin equilibrio, estalló sobre los delicados antebrazos atrapados debajo. La carne se asentó, estremeciéndose.

Otro crujido. Arriba, la gigantesca rama de un árbol se rompió y cayó. Golpeó a la bestia muerta como un acto final.

—Ahí está —Lesperance miró su reloj—. Justo a tiempo. Ése es el árbol gigantesco que originalmente debía caer y matar a este animal. —Miró a los dos cazadores—. ¿Quieren la fotografía de trofeo?

—¿Qué?

—No podemos llevar un trofeo al futuro. El cuerpo tiene que permanecer aquí donde habría muerto originalmente, de manera que los insectos, pájaros y bacterias puedan vivir de él, como estaba previsto. Todo debe mantener su equilibrio. Dejaremos el cuerpo, pero *podemos* llevar una foto con ustedes al lado del magnífico animal.

Los dos hombres intentaron pensar, pero al fin se rindieron y sacudieron la cabeza.

Se dejaron conducir por el sendero de metal. Se hundieron cansadamente en los almohadones de la máquina. Miraron de nuevo al monstruo caído, un montículo estático, donde unos extraños reptiles voladores y unos insectos dorados trabajaban ya sobre la vaporosa coraza.

Un sonido en el piso de la máquina del tiempo los paralizó. Eckels estaba allí, temblando.

—Lo siento —dijo al fin.

—¡Levántese! —gritó Travis.

Eckels se levantó.

—¡Vaya por ese sendero, solo! —dijo Travis, apuntando con el rifle—. No volverá a la máquina. ¡Lo dejaremos aquí!

Lesperance tomó a Travis por el brazo.

—Espera...

—¡No te metas en esto! —Travis se sacudió apartando la mano—. Este tonto casi nos mata. Pero *eso* no es suficiente. No. ¡Son sus *zapatos*! ¡Míralos! Salió del sendero. ¡Estamos arruinados! Nos van a multar. ¡Miles de dólares de seguro! Garantizamos que nadie abandonaría el sendero. Y él lo hizo. ¡El muy tonto! Tendré que informar al gobierno. Pueden hasta quitarnos la licencia para viajar. ¡Quién sabe lo que le ha hecho al tiempo, a la Historia!

—Cálmate. Sólo pisó un poco de barro.

—¿Cómo podemos *saberlo*? —gritó Travis—. ¡No sabemos nada! ¡Es un misterio! ¡Fuera de aquí, Eckels!

Eckels buscó en su chaqueta.

—Pagaré lo que sea. ¡Cien mil dólares!

Travis miró enojado la chequera de Eckels y escupió.

—Vaya para allá. El monstruo está junto al sendero. Métale sus brazos hasta los codos en la boca. Luego podrá volver con nosotros.

—¡Eso no tiene sentido!

—El monstruo está muerto, idiota. ¡Las balas! No podemos dejar aquí las balas. No pertenecen al pasado, pueden cambiar algo. Tome mi cuchillo. ¡Extráigalas!

La jungla estaba viva otra vez, llena de los viejos temblores y los gritos de los pájaros. Eckels se volvió lentamente a mirar el primitivo depósito de basura, la colina de pesadillas y terror. Luego de un rato, como un sonámbulo, se fue, arrastrando los pies.

Regresó temblando cinco minutos más tarde, con los brazos empapados y rojos hasta los codos. Extendió las manos. En cada una había un montón de balas. Luego cayó. Se quedó allí, en el suelo, sin moverse.

—No tenías que obligarlo a hacer eso —dijo Lesperance.

—¿No? Es demasiado pronto para saberlo. —Travis tocó con el pie el cuerpo inmóvil—. Vivirá. La próxima vez no buscará cacerías como ésta. Muy bien.—Le hizo una fatigada seña a Lesperance—. Enciende. Volvamos a casa.

1492. 1776. 1812...

Se limpiaron las caras y las manos. Se cambiaron las sucias camisas y pantalones. Eckels se había levantado y se paseaba sin hablar. Travis lo miró furiosamente durante diez minutos.

—No me mire —gritó Eckels—. No hice nada.

—¿Quién puede decirlo?

—Salí del sendero, eso es todo, traje un poco de barro en los zapatos. ¿Qué quiere que haga? ¿Que me arrodille y rece?

—Quizá lo necesitemos. Se lo advierto, Eckels. Todavía puedo matarlo. Tengo listo mi rifle.

—Soy inocente. ¡No he hecho nada!

1999. 2000. 2055.

La Máquina se detuvo.

—Salga —dijo Travis.

El cuarto estaba tal y como lo habían dejado. El mismo hombre permanecía sentado detrás del mismo escritorio, pero había algo diferente en el ambiente.

Travis miró a su alrededor rápidamente.

—¿Todo bien aquí? —estalló.

—Muy bien. ¡Bienvenidos a casa!

Travis no se relajó. Parecía estudiar hasta los átomos del aire, el modo en que entraba la luz del sol por la única y alta ventana.

—Muy bien, Eckels, puede salir. Y nunca vuelva.

Eckels no se podía mover.

—Ya me oyó —dijo Travis—. ¿Qué mira?

Eckels permanecía aspirando el aire, había algo en él, un tinte químico tan sutil, tan leve, que sólo el débil grito de sus refinados sentidos le advertía que estaba allí. Los colores, blanco, gris, azul, anaranjado, de las paredes, del mobiliario, del cielo más allá de la ventana, eran... eran... Y había una sensación. Se estremeció. Le temblaron las manos. Se quedó absorbiendo la rareza de aquel elemento con todos los poros de su cuerpo. En alguna parte alguien debía estar tocando uno de esos silbatos que sólo pueden oír los perros. Su cuerpo respondió con un grito silencioso. Más allá de este cuarto, más allá de esta pared, más allá de este hombre que no era exactamente el mismo hombre detrás del mismo escritorio... se extendía todo un mundo de calles y gente. No se podía saber qué clase de mundo era ahora. Podía sentir cómo se movían, más allá de los muros, casi, como piezas de ajedrez arrastradas por un viento seco...

Pero lo inmediato era el letrero pintado en la pared de la oficina, el mismo letrero que había leído ese mismo día al entrar allí por primera vez.

De algún modo el letrero había cambiado.

SEFARI EN LE TEIMPO, S. A.
SEFARIS A KUALKIER ANIO DEL PASAADO
USTE ELIJE EL ANIMALL
NOZOTROS LO LLEBAMOS
USTE LO MATTA

Eckels se sintió caer en una silla. Tanteó insensatamente el grueso barro de sus botas. Sacó un trozo, temblando.

—No, *no puede* ser. Algo *tan* pequeño. ¡No!

Hundida en el barro, brillante, verde, dorada y negra, había una bellísima mariposa muerta.

—¡No algo *tan* pequeño! ¡No una mariposa! —gritó Eckels.

Cayó al suelo, una cosa delicada, una cosa pequeña que podía destruir todos los equilibrios, derribando primero la línea de un pequeño dominó, y luego de un gran dominó, y después de un gigantesco dominó, a lo largo de los años, a través del tiempo. La mente de Eckels giró rápidamente. No *podía* cambiar las cosas. Matar una mariposa no podía ser *tan* importante. ¿O sí?

Tenía el rostro helado. Preguntó, los labios trémulos:

—¿Quién... quién ganó la elección presidencial ayer?

El hombre detrás del escritorio se rió.

—¿Está bromeando? Lo sabe muy bien. ¡Deutscher, por supuesto! ¿Quién más? No ese debilucho de Keith. Ahora tenemos un hombre de hierro, un hombre con agallas. —El oficial calló—. ¿Qué pasa?

Eckels gimió. Cayó de rodillas. Recogió la mariposa dorada con dedos temblorosos.

—¿No podríamos —se rogó a sí mismo, le rogó al mundo, a los oficiales, a la máquina—, no podríamos *llevarla* de vuelta, no podríamos *hacerla* vivir otra vez? ¿No podríamos empezar de nuevo? ¿No podríamos...?

No se movió. Con los ojos cerrados, esperó, estremeciéndose. Oyó que Travis gritaba; oyó que Travis preparaba su rifle, quitaba el seguro, y apuntaba.

Se escuchó el ruido de un trueno.

# Deserción

Clifford D. Simak

Cuatro hombres, de dos en dos, habían partido al tremendo torbellino que era Júpiter, y no habían vuelto. Habían caminado hacia el penetrante ventarrón; o, más bien, se habían arrastrado hacia él, con los vientres pegados al suelo y los cuerpos empapados, resplandecientes bajo la lluvia. No conservaban su apariencia humana.

Ahora el quinto hombre estaba de pie ante el escritorio de Kent Fowler, jefe del Domo Número 3, Comisión de Inspección de Júpiter.

Bajo el escritorio de Fowler, el viejo Towser se sacudió una pulga, y luego se echó a dormir otra vez.

Harold Allen —advirtió Fowler con una angustia repentina— era joven... demasiado joven. Tenía la fácil confianza de la juventud, el rostro de alguien que nunca ha sentido miedo. Y eso era extraño. Pues los hombres de los domos de Júpiter conocían el miedo... el miedo y la humildad. Era difícil para el Hombre armonizar su diminuto yo con las poderosas fuerzas del monstruoso planeta.

—Comprenderá usted —dijo Fowler— que no necesita hacer esto. Comprenderá que no está obligado a ir.

Era una fórmula, por supuesto. Les había dicho lo mismo a los otros cuatro, y habían ido. Este quinto, Fowler lo sabía, iría también. Pero tuvo de pronto la débil esperanza de que Allen no fuese.

—¿Cuándo parto? —preguntó Allen.

Hubo una época en que Fowler podría haber sentido un callado orgullo ante esa respuesta, pero no ahora. Frunció levemente el entrecejo.

—En una hora —dijo.

Allen se quedó esperando, en silencio.

—Han ido cuatro hombres y no han regresado —dijo Fowler—. Ya lo sabe usted, por supuesto. Queremos que vuelva. No queremos que intente una heroica expedición de rescate. Lo más importante, lo único, es que regrese, que pruebe que un hombre puede vivir bajo una forma joviana. Vaya hasta la primera posta, no más allá, y vuelva. No corra riesgos. No investigue nada. Sólo vuelva.

Allen asintió.

—Entiendo —dijo.

—La señorita Stanley manejará el conversor —continuó Fowler—. No hay nada que temer. La conversión de los otros no tuvo dificultades. Salieron de la máquina en un estado aparentemente perfecto. Estará usted en buenas manos. La señorita Stanley es la mejor operadora de conversores del Sistema Solar. Ha adquirido experiencia en la mayoría de los planetas. Por eso está aquí.

Allen sonrió a la mujer, mostrando los dientes, y Fowler vio algo que pasaba por la cara de la señorita Stanley; algo que podía ser piedad, o rabia, o simplemente miedo. Pero la mujer ya sonreía otra vez al joven. Sonreía con ese aire suyo de maestra de escuela, casi como si odiase tener que sonreír.

—Esperaré con ansia —dijo Allen— el instante de mi conversión.

Por el tono podría haber sido una broma, una broma llena de ironía. Pero no era así.

Era algo serio, mortalmente serio. De esas pruebas, como sabía Fowler, dependía el destino de los hombres en Júpiter. Si tenían éxito, los recursos del enorme planeta estarían al alcance de su mano. El hombre se adueñaría de Júpiter, como ya se había apoderado de los planetas más pequeños. Pero si las pruebas fracasaban...

Si fracasaban, el hombre seguiría atado a la terrible presión, a la enorme fuerza de gravedad, a las curiosas reacciones del planeta. Seguiría encerrado en los domos, sin poder poner el pie en el planeta; sin poder ver sin ayuda; forzado a fiarse de los embarazosos tractores y el televisor, forzado a trabajar con herramientas y mecanismos y robots de difícil manejo.

El hombre, sin protección y bajo su forma natural, sería destrozado por la terrible presión de Júpiter. Tres toneladas por centímetro cuadrado: la presión de las profundidades submarinas de la Tierra no era nada comparada con ésta.

Ni siquiera el metal más fuerte que los terrestres pudieran concebir, resistía esas presiones y esas lluvias alcalinas que barrían Júpiter. Caían en pedruscos quebradizos, deshaciéndose luego como arcilla, y corrían como arroyuelos, y formaban charcos de sales de amoniaco. Sólo aumentando la dureza y resistencia de ese metal y su tensión electrónica, podía éste soportar las toneladas de miles de gases, sofocantes y turbulentos, que formaban aquella atmósfera. Y aun entonces, había que recubrirlo todo con capas de cuarzo para que no entrase la lluvia... aquellos aluviones de amoniaco.

Fowler escuchaba el ruido de los motores instalados en el subsuelo del domo, motores que funcionaban interminablemente; al domo jamás lo invadía el silencio. Tenía que ser así, pues si se paraban, la energía que corría por las paredes de metal del domo se detendría, la tensión electrónica se interrumpiría y eso, sería el fin de todo.

Towser se agitó debajo del escritorio y se rascó otra pulga, golpeando su pata fuertemente contra el suelo.

—¿Hay algo más? —preguntó Allen.

Fowler sacudió la cabeza.

—Quizá quiera usted hacer algo —dijo—. Quizá quiera...

Iba a decir "escribir una carta", y se alegró de haber callado a tiempo.

Allen miró su reloj.

—Estaré allí a tiempo —dijo—. Dio media vuelta y se dirigió a la puerta.

Fowler sabía que la señorita Stanley estaba observándolo, no quería volverse y encontrarse con sus ojos. Revolvió unas hojas que tenía en su escritorio.

—¿Cuánto tiempo piensa seguir con esto? —preguntó la señorita Stanley, como escupiendo las palabras.

Fowler giró en su silla y se enfrentó a ella. Los labios de la señorita Stanley formaban una línea recta y delgada; el cabello, echado hacia atrás, parecía más tirante que nunca, y la cara tenía la apariencia de una máscara mortuoria.

Fowler trató de hablar con voz fría y llana.

—Mientras haya necesidad —dijo—. Mientras haya esperanza.

—Seguirá sentenciándolos a muerte —dijo la mujer—. Seguirá enfrentándolos con Júpiter. Y mientras, usted se quedará aquí, cómodo y seguro, y los enviará a morir.

—El sentimentalismo está de más aquí, señorita Stanley —dijo Fowler, tratando de no contener la furia de su voz—. Usted sabe tan bien como yo por qué hacemos esto. Sabe muy bien que el hombre, con su propia forma, no puede desafiar a Júpiter. La única solución es convertir a los hombres en algo que se pueda enfrentar al planeta. Hemos hecho lo mismo en otros mundos.

"Si mueren unos cuantos hombres, pero tenemos éxito finalmente, el costo será pequeño. En todos los tiempos los hombres han dado su vida por cosas tontas, por razones tontas. ¿Por qué habríamos de titubear, entonces, ante una pequeña muerte en un evento tan grande como éste?"

La señorita Stanley estaba sentada muy tiesa y erguida, con las manos dobladas sobre su regazo, y las canas brillándole a la luz. Fowler la miraba, tratando de imaginar qué sentiría, qué pensaría. No le tenía miedo, precisamente, pero no se sentía cómodo cuando la mujer andaba cerca. Esos ojos azules y penetrantes veían demasiado; esas manos parecían demasiado competentes. Podría haber sido la tía de alguien, sentada en una mecedora, con sus agujas de tejer. Pero no lo era. Era la más eminente operadora de conversores del Sistema Solar, y no aprobaba lo que él hacía.

—Algo anda mal, señor Fowler —declaró la mujer.

—Precisamente —convino Fowler—. Por eso envío al joven Allen. Para que averigüe qué pasa.

—¿Y si no lo averigua?

—Enviaré a alguien más.

La mujer se levantó lentamente de la silla, avanzó hacia la puerta, y se detuvo junto al escritorio.

—Algún día —dijo— usted será un gran hombre. No deja escapar ninguna oportunidad. Ésta es su oportunidad. Usted lo supo desde que este domo fue nominado para las pruebas. Si tiene éxito, subirá un grado o dos. No importa cuántos hombres mueran, usted ascenderá un grado o dos.

—Señorita Stanley —dijo Fowler rudamente—, el joven Allen está por salir. Por favor, asegúrese de que su máquina...

—Mi máquina —dijo la mujer con frialdad— no tiene la culpa. Opera de acuerdo con las coordenadas que los biólogos determinan.

Fowler, encorvado sobre su escritorio, se quedó escuchando los pasos de la mujer alejándose por el corredor.

Lo que ella había dicho era cierto. Los biólogos habían determinado las coordenadas. Pero los biólogos podían equivocarse. Una diferencia del ancho de un cabello, un error mínimo, y el convertidor enviaría algo que no querían enviar. Un mutante que podría hacerse pedazos bajo alguna condición, tensión o circunstancia totalmente desconocida.

Los hombres no sabían mucho de lo que ocurría afuera. Sólo lo que indicaban los instrumentos. Y las muestras de esos eventos, proporcionadas por esos instrumentos y mecanismos, sólo eran muestras, pues Júpiter era increíblemente grande, y los domos eran pocos.

Incluso las investigaciones de los biólogos sobre los datos de los galopantes, aparentemente la mayor forma de vida joviana, habían involucrado más de tres años de estudio intensivo y dos años más para su confirmación. Un trabajo para el que hubiesen bastado una o dos semanas en la Tierra. Pero un trabajo que, en este caso, no podía realizarse allí, pues no era posible llevar a la Tierra una forma de vida de Júpiter. La presión de Júpiter no se podía reproducir fuera de él, y a la temperatura y presión terrestres, los galopantes simplemente hubieran desaparecido, convertidos en una nubecita de gas.

Sin embargo, era un trabajo indispensable si el hombre quería pasearse alguna vez por Júpiter con la forma de los galopantes. Pues antes que el conversor transformase al hombre en otra especie, era necesario conocer cada detalle de sus características físicas, y con tal precisión que eliminase toda posibilidad de error.

Allen no regresó. Los tractores peinaron los terrenos vecinos y no hallaron rastros de él, a no ser que la esquiva criatura descrita por uno de los conductores fuese el perdido terrícola con forma de galopante.

Los biólogos emitieron sus más académicas burlas cuando Fowler sugirió que las coordenadas podrían estar mal. Las coordenadas, señalaron acuciosamente, funcionaban. Cuando un hombre se introducía en el conversor, y el interruptor se activaba, el hombre se convertía en un galopante. Dejaba el aparato y entraba, hasta perderse de vista, en la espesa atmósfera.

Algún detalle, sugirió Fowler, alguna pequeñísima diferencia con lo que un galopante debía ser, algún defecto minúsculo. Si se trataba de eso, dijeron los biólogos, tardarían años en descubrirlo.

Y Fowler sabía que tenían razón.

Así que ahora eran cinco hombres, en vez de cuatro, y Harold Allen se había adentrado en Júpiter inútilmente. Era como si no hubiese ido.

Fowler se inclinó sobre el escritorio y tomó el archivo de personal; unas pocas hojas cuidadosamente ordenadas. Era algo que temía, pero que debía hacer. Había que encontrar de algún modo el motivo de estas extrañas desapariciones. Y la única forma era enviar más hombres.

Por un momento se quedó escuchando el aullido del viento sobre el domo, el eterno y atronador ventarrón que barría el planeta con una furia hirviente y retorcida.

¿Habría una amenaza allá afuera?, se preguntó. ¿Algún desconocido peligro? ¿Algo que acechaba y se tragaba a los galopantes sin distinguir a los auténticos de los que eran hombres? Por supuesto, para los tragones no había ninguna diferencia.

¿No se había cometido un error fundamental al seleccionar a los galopantes como la forma de vida más adaptable a las condiciones de la superficie del planeta? La evidente inteligencia de los galopantes había sido un factor decisivo para su elección. Pues si el ser en que el Hombre iba a convertirse no era inteligente, éste no podría conservar su propia capacidad mental por mucho tiempo.

¿Habrían dado los biólogos demasiada importancia a ese factor, olvidando algún otro que podría haber sido insatisfactorio o incluso desastroso? No parecía así. A pesar de su obstinación, los biólogos conocían su negocio.

¿O era imposible todo ese asunto, y estaba condenado al fracaso desde el principio? La conversión a formas de vida diferentes había tenido éxito en otros planetas, pero eso no significaba que lo mismo ocurriría en Júpiter. Quizá la inteligencia del hombre no podía funcionar correctamente con el aparato sensorial de la vida en Júpiter. Quizá los galopantes eran una forma de vida demasiado extraña al conocimiento humano.

O el motivo de ese fracaso podía residir en el Hombre, ser inherente a la raza. Alguna aberración mental que, ante ciertos estímulos exteriores, impedía el regreso. Aunque quizá no fuera una aberración, no para los hombres. Quizás era sólo una peculiaridad mental, aceptada como cosa común en la Tierra, pero tan violentamente contraria a la vida en Júpiter que destruía toda cordura humana.

Unas patas rascaban y golpeaban el suelo del pasillo. Fowler las escuchó y sonrió débilmente. Era Towser, que volvía de la cocina, donde había ido a ver a su amigo el cocinero.

Towser entró en el cuarto, llevando un hueso. Le movió la cola a Fowler y se echó bajo el escritorio, con el hueso entre las patas. Clavó largamente los viejos ojos en su amo, y Fowler se agachó y le rascó su arrugada oreja.

—¿Todavía me quieres, Towser? —preguntó Fowler, y Towser sacudió la cola.

—Eres el único —dijo Fowler.

Se irguió y volvió al escritorio. Estiró la mano y tomó el archivo de personal.

¿Bennet? A Bennet lo esperaba una chica en la Tierra.

¿Andrews? Andrews planeaba volver al Instituto Tecnológico de Marte tan pronto como hubiese ganado lo suficiente para pasar allí un año.

¿Olson? Olson estaba a punto de jubilarse. Se pasaba las horas diciendo a los muchachos que se dedicaría a cultivar rosas.

Cuidadosamente, Fowler puso de nuevo el archivo sobre el escritorio.

Sentenciando hombres a muerte. Lo había dicho la señorita Stanley, y sus pálidos labios apenas se habían movido en aquella cara de pergamino. Los enviaba a la muerte mientras él, Fowler, se quedaba aquí, cómodo y seguro.

Sin duda lo estaban comentando en todo el domo, en especial desde que Allen no había vuelto. No se lo dirían a la cara. Ni siquiera se lo dirían los hombres que llamara a su oficina y a quienes les comunicaría que serían los próximos en ir.

Pero Fowler lo veía en sus ojos.

Tomó de nuevo el archivo. Bennet, Andrews, Olson. Había otros, pero era inútil seguir buscando.

Kent Fowler sabía que no podía hacerlo, que no podía enfrentarse a ellos, que no podía enviar a otros hombres a la muerte.

Se inclinó y presionó la tecla del intercomunicador.

—Sí, señor Fowler.

—La señorita Stanley, por favor.

Esperó a la señorita Stanley, escuchando cómo Towser mordía el hueso con indiferencia. Towser ya no tenía muy buenos dientes.

—La señorita Stanley —dijo la voz de la señorita Stanley.

—Quería pedirle, señorita Stanley, que se prepare para enviar a otros dos.

—¿No teme —preguntó la señorita Stanley— terminar con todos? Si los envía uno por uno durarían más; le darán una doble satisfacción.

—Uno de ellos —dijo Fowler— será un perro.

—¡Un perro!

—Sí, Towser.

Fowler sintió la rápida furia helada que congeló la voz de la mujer.

—¡Su propio perro! Ha estado con usted durante años...

—Por eso mismo —dijo Fowler—. Se sentiría muy infeliz si yo lo dejara.

No era el mismo Júpiter que había visto en el televisor. Había esperado algo diferente. Nada como esto. Había esperado un infierno de lluvia amoniacal, y apestosas humaredas, y el ensordecedor sonido del huracán. Había esperado torbellinos de nubes y niebla, y el agresivo resplandor de rayos monstruosos.

No había esperado que los látigos del agua quedasen reducidos a una leve niebla purpúrea que flotaba como una sombra sobre la tierra rojiza. No había ni siquiera sospechado que los rayos serpenteantes fuesen un resplandor estático en un cielo de color.

Mientras esperaba a Towser, Fowler flexionó los músculos de su cuerpo, asombrado ante aquella sensación de fuerza y bienestar. Poseía muy buen cuerpo, y sonrió al recordar cómo había compadecido a los galopantes que miraba en la pantalla.

Había sido difícil pensar en un organismo vivo adaptado al amoniaco y al hidrógeno, en vez de al agua y al oxígeno; difícil creer que semejante forma de vida pudiese sentir un gusto por la vida similar al de la humanidad. Difícil concebir algo vivo en esta tormenta oscura que era Júpiter, sin saber, por supuesto, que a los ojos jovianos no era en realidad una tormenta oscura.

El viento lo rozaba con dedos suaves, y recordó sorprendido que, de acuerdo con las normas de la Tierra, ese viento era un ciclón que corría a trescientos kilómetros por hora, cargado de gases mortíferos.

Agradables aromas bañaban su cuerpo. Pero apenas podían llamarse aromas, pues no eran percibidos por el olfato como él lo recordaba. Parecía que hubiese sumergido todo su ser en agua de lavanda, y sin embargo no era lavanda. Era algo, lo sabía, para lo que no tenía palabras; el primero de una serie de enigmas terminológicos. Las palabras que él conocía, los símbolos de los que se había servido en su vida terrestre, eran totalmente inútiles en este sitio.

Una puerta se abrió en un lado del domo, y Towser salió tambaleándose... o por lo menos Fowler pensó que debía ser Towser.

Comenzó a llamar al perro, dando forma mentalmente a las palabras que quería articular. Pero no había manera de decirlas. No tenía con qué decirlas.

Por un instante un sombrío terror, un terror ciego, asaltó su cerebro en pequeñas olas de pánico.

¿Cómo hablan los jovianos? ¿Cómo..?

De pronto tuvo conciencia de Towser, una intensa conciencia del cariño tenaz de aquel desgreñado animal que lo había seguido de la Tierra a tantos planetas. Como si el ser que era Towser hubiese salido de sí mismo y se le hubiera instalado en el cerebro.

Y de aquella calurosa bienvenida llegaban las palabras:

—Hola, amigo.

No eran palabras realmente; algo mejor. Símbolos de pensamiento en su cerebro, símbolos de pensamiento comunicado con matices que nunca podrían tener las palabras.

—Hola, Towser —dijo Fowler.

—Me siento muy bien —dijo Towser—. Como si fuera cachorro. Últimamente me sentía miserable. Se me doblaban las piernas y me dolían los dientes. Era difícil morder un hueso con esos dientes. Además, las pulgas convertían la vida en un infierno. Antes no les hacía caso. Un par de pulgas más o menos no significaban mucho entonces.

—Pero... pero... —a Fowler, los pensamientos se le confundían torpemente—. ¡Me estás hablando!

—Claro —dijo Towser—. Siempre te he hablado, pero tú no podías oírme. Trataba de decirte cosas, pero nunca lo lograba.

—A veces te comprendía —dijo Fowler.

—No muy bien —replicó Towser—. Sabías cuándo quería comer, o beber, o salir. Pero nada más.

—Lo siento —dijo Fowler.

—Olvídalo —le dijo Towser—. Te reto a una carrera hasta el acantilado.

Por vez primera Fowler vio el acantilado, en apariencia a muchos kilómetros de distancia, pero con una rara y cristalina belleza que resplandecía a la sombra de las nubes multicolor.

Fowler titubeó.

—Está muy lejos.

—Anda, vamos —dijo Towser, y aún estaba diciéndolo cuando echó a correr.

Fowler lo siguió, probando sus piernas, probando la fuerza de su nuevo cuerpo, dudando un poco al principio, asombrado un momento después, luego corriendo con una vivaz alegría que parecía ser una con el césped morado y rojo, y el humo flotante de la lluvia en la tierra.

Mientras corría, tuvo conciencia de una música que venía hacia él, una música que golpeaba el interior de su cuerpo, que se alzaba en su ser, que lo levantaba en alas plateadas a gran velocidad. Una música que parecía descender del campanario de una colina en una soleada primavera.

A medida que se acercaba al acantilado, la música se hacía más profunda, y llenaba el universo con un rocío de mágicos sonidos. Y Fowler supo que la música venía de la caída de agua del resplandeciente acantilado.

Aunque no era en realidad una caída de agua, sino de amoniaco; y el acantilado era blanco porque estaba formado de oxígeno solidificado.

Se detuvo de pronto, junto a Towser. La cascada estalló en un brillante arco iris de muchos cientos de colores. Muchos cientos, literalmente; pues vio que aquí no había un matiz de un color primario a otro, como lo percibían los seres humanos, sino una precisa selectividad que rompía el prisma en su más pequeña clasificación.

—La música —dijo Towser.

—Sí, ¿qué con ella?

—La música —dijo Towser—, son vibraciones. Vibraciones producidas por el agua al caer.

—Pero, Towser, tú no sabes nada de vibraciones.

—Claro que sí —replicó Towser—. Acabo de saberlo.

Fowler abrió mentalmente la boca.

—¡Acabas de saberlo!

Y de pronto, en el interior de su propia cabeza, encontró una fórmula. La fórmula para un proceso que haría que el metal pudiese resistir la presión de Júpiter.

Miró, asombrado, la cascada; y su mente clasificó con rapidez los distintos colores y los colocó en una secuencia exacta en el espectro. Así. Nada más. De la nada. Pues nada sabía de metales ni de colores.

—¡Towser! —gritó—. ¡Towser, algo nos está pasando!

—Sí, ya sé —dijo Towser.

—En nuestros cerebros —dijo Fowler—. Los estamos utilizando totalmente, hasta el último rincón. Descubrimos cosas que debíamos saber. Quizá los cerebros terrestres son naturalmente lentos, nebulosos. Quizá somos los más retrasados del universo. Quizá está en nosotros tener que hacer las cosas del modo más difícil.

Y, en la nueva claridad mental que parecía apoderarse de él, Fowler supo que no sería solamente una cascada de colores, o metales capaces de resistir la presión de Júpiter. Sintió otras cosas, cosas todavía no muy claras. Un vago murmullo que se refería a algo más grande, a misterios más allá del pensamiento humano, e incluso de la apagada imaginación humana. Misterios, hechos, lógica basada en el razonamiento. Cosas que cualquier cerebro podría captar si usase todo su poder.

—Todavía somos, en gran parte, criaturas terrestres —dijo—. Estamos apenas comenzando a aprender algunas cosas que debíamos saber... algunas cosas que no sabíamos como seres humanos, quizás precisamente porque éramos seres humanos. Porque nuestros cuerpos humanos eran cuerpos pobres. Pobremente equipados para pensar... para sentir. Quizás hasta nos faltaban algunos sentidos esenciales para el verdadero conocimiento.

Volvió la vista hacia el domo: una manchita oscura, empequeñecida por la distancia.

Allá había hombres que no podían ver la belleza de Júpiter. Hombres que pensaban que las nubes torrenciales y la terrible lluvia oscurecían la superficie del planeta. Ciegos ojos humanos. Pobres ojos. Ojos que ignoraban la belleza de las nubes, que no podían ver a través de la tormenta. Cuerpos incapaces de sentir el estremecimiento de aquella vibrante música que provenía del agua al quebrarse.

Hombres que caminaban en una terrible soledad, y hablaban como niños exploradores intercambiando sus mensajes con banderitas, incapaces de extenderse y tocar la mente de otro como él hacía con Towser. Alejados para siempre de todo contacto íntimo y personal con otros seres vivos.

Él, Fowler, había esperado sentir terror de cosas extrañas en esta superficie; había esperado retroceder ante la amenaza de cosas desconocidas; se había endurecido ante una situación que no fuera la de la Tierra.

En cambio se encontró ante algo cuya grandeza el Hombre nunca había conocido. Un cuerpo más fuerte y ligero. Una sensación de alegría, un sentimiento más profundo de la existencia. Una mente más aguda. Un mundo de belleza que ni siquiera los soñadores terrestres habían logrado concebir.

—Sigamos —pidió Towser.

—¿A dónde quieres ir?

—A cualquier parte —dijo Towser—. Sigamos a ver qué descubrimos. Tengo una sensación de... bueno, una sensación...

—Sí, ya sé —dijo Fowler.

Pues él también la sentía. La sensación de un destino más alto. Una cierta sensación de grandeza. La conciencia de que en alguna parte, más allá del horizonte, esperaba la aventura, y cosas más importantes que la aventura.

Aquellos otros cinco habían sentido lo mismo. La urgencia de ir y ver, la persistente sensación de que allí había una vida de plenitud y sabiduría.

Entonces supo por qué los otros no habían vuelto.

—No volveré —dijo Towser.

—No podemos abandonarlos —dijo Fowler.

Dio un paso o dos hacia el domo y se detuvo.

Regresar al domo. Regresar a aquel cuerpo dolorido e intoxicado. No parecía doler entonces, pero ahora sabía que sí.

Regresar al cerebro confuso. A aquel pensamiento enmarañado. A las bocas móviles de las que surgían señales que otros podían entender. A los ojos que ahora serían peores que estar ciego. A la debilidad, la abyección, la ignorancia.

—Quizá algún día —se murmuró Fowler.

—Tenemos mucho que hacer y mucho que ver —dijo Towser—. Tenemos mucho que aprender. Descubriremos cosas...

Sí, descubrirían cosas. Civilizaciones, quizá. Civilizaciones que harían que la humanidad pareciese ridícula. Belleza, y, lo que era más importante, la comprensión de esa belleza. Y una camaradería que nadie había experimentado antes... que ningún hombre, ningún perro, habían conocido antes.

Y vida. La intensidad de una vida luego de lo que ahora parecía una existencia narcotizada.

—No puedo volver —dijo Towser.

—Ni yo —dijo Fowler.

—Me convertirían de nuevo en perro —dijo Towser.

—Y a mí —dijo Fowler— en hombre.

# El sexto palacio

Robert Silverberg

> Ben Azai se consideró digno y se detuvo ante el portal del sexto palacio, y vio el esplendor etéreo de las placas de mármol. Abrió la boca y dijo dos veces: "¡Agua, agua!". En un abrir y cerrar de ojos fue decapitado y le arrojaron once mil planchas de hierro. Ésta será una advertencia para todas las generaciones, de que nadie debe errar en el portal del sexto palacio.
>
> *Hekaloth el Menor*

Estaba el tesoro, y también el guardián del tesoro; y los huesos blanquecinos de los que habían intentado inútilmente apoderarse de él. En cierto modo, hasta los huesos habían embellecido, tirados allí, a un lado del portal de la cámara del tesoro, bajo el resplandeciente arco de los cielos. El tesoro embellecía todas las cosas que lo rodeaban... incluso los blancos huesos, incluso al severo guardián.

El tesoro estaba en un pequeño mundo que pertenecía a la roja Valzar. En realidad era sólo un poco más grande que la luna y no tenía una verdadera atmósfera; era un pequeño mundo muerto y silencioso que giraba por la oscuridad, a mil millones de kilómetros de una estrella primaria que se estaba enfriando. Un viajero se detuvo allí una vez. ¿De dónde venía, adónde iba? Nadie lo supo nunca. Había construido un escondite en aquel lugar y allí estaba, inalterable y eterno, un increíble tesoro presidido por el hombre metálico sin rostro que esperaba, con paciencia férrea, el retorno de su amo.

También estaban aquellos que codiciaban el tesoro. Llegaban y eran desafiados por el guardián y morían.

En otro mundo del sistema de Valzar, unos hombres que no se desanimaban por el fin de sus predecesores soñaban con el tesoro escondido y planeaban cómo apoderarse de él. Lipescu era uno de ellos: un hombre grande como una torre, de dorada barba, puños como mazas, broncíneas mandíbulas y una espalda tan ancha como un árbol de mil años de edad. Bolzano era el otro: tenía el aspecto de un aguijón, ojos brillantes y dedos rápidos; era esbelto como un junco y afilado como una navaja. Ninguno de los dos deseaba morir.

La voz de Lipescu era como el rugido de dos islas galácticas a punto de estrellarse. Se acodó junto a un enorme tarro de buena cerveza oscura y casi gritó:

—Iré mañana, Bolzano.

—¿Está lista la computadora?

—Programada con todo lo que la bestia puede preguntarme —bramó el grandulón—. No habrá errores.

—¿Y si los hay? —preguntó Bolzano, mirando perezosamente los ojos azules, extrañamente pálidos y humildes del gigante—. ¿Y si el robot te mata?

—Conozco bien a los robots.

Bolzano rió.

—Esa planicie está llena de huesos, amigo. Los tuyos se reunirán con los demás. Serán unos huesos grandes y voluminosos. Me parece que ya los puedo ver.

—Eres muy alegre, amigo.

—Soy realista.

Lipescu meció la cabeza pesadamente.

—Si fueras realista no estarías conmigo en esto —dijo con lentitud—. Sólo un soñador haría algo así.

Una de sus gruesas zarpas se desplazó por el aire, se lanzó hacia abajo y atrapó el antebrazo de Bolzano. El hombrecito hizo una mueca de dolor cuando sus huesos crujieron.

—¿No retrocederás? Si yo muero, ¿lo intentarás?

—Claro que sí, tonto.

—¿Te atreverás? Eres un cobarde, como todos los hombres pequeños. Me verás morir y saldrás corriendo rápidamente hacia otro confín del universo. ¿No es así?

—Me propongo aprovechar tus errores —afirmó Bolzano con voz clara y chillona—. Suelta mi brazo.

Lipescu aflojó la mano. El hombrecito se hundió en el sillón, sobándose el brazo. Bebió un trago de cerveza. Sonrió a su compañero y levantó el tarro.

—Por el éxito —brindó Bolzano.

—Sí. Por el tesoro.

—Y por una larga vida posterior.

—Por nosotros dos —rugió el gigante.

—Quizá —murmuró Bolzano—. Quizá.

Tenía sus dudas. Ferd Bolzano sabía que el gigante era astuto y ésa era una buena combinación que no se encontraba con frecuencia: astucia y tamaño. Pero los riesgos eran grandes. Bolzano se preguntaba qué era preferible: que Lipescu obtuviera el tesoro en su intento, asegurando a Bolzano una participación sin exponerse, o que Lipescu muriera, obligándolo a arriesgar su vida. ¿Qué era mejor, un tercio del tesoro, sin peligros, o la totalidad, jugándose el todo por el todo?

Bolzano era un deportista lo bastante bueno como para conocer la respuesta. Pero había algo más que cobardía en él; en cierto modo, deseaba tener la posibilidad de poner en peligro su vida en el mundo anaerobio del tesoro.

Lipescu sería el primero en intentarlo. Éste era el trato. Bolzano había robado la computadora y se la había entregado al gigante; Lipescu haría el primer intento. Si ganaba el premio, la parte mayor sería suya. Si perecía, Bolzano tendría su oportunidad. Era una asociación extraña, con cláusulas más extrañas, pero Lipescu se negó a cualquier otra solución y Ferd Bolzano no discutió con su inmenso compañero. Lipescu volvería con el tesoro, o no volvería. Ambos estaban seguros de que no había una solución intermedia.

Bolzano pasó una noche intranquila. Su departamento, en una elegante torre de un edificio con vistas al brillante lago Eris, era un lugar cómodo y no deseaba abandonarlo. Lipescu prefería vivir en los apestosos suburbios ubicados detrás de la costa sur del lago, y cuando los dos hombres se separaron por la noche, se alejaron en direcciones opuestas. Bolzano consideró la posibilidad de invitar a una mujer a pasar la noche con él, pero no lo hizo. En cambio, se sentó, inquieto e insomne, ante la pantalla del televector, pendiente de la procesión de mundos, observando los planetas ocres, verdes y dorados que navegaban por el vacío.

Hacia el amanecer proyectó la cinta del tesoro. Octave Merlin había grabado esa cinta mientras estaba en órbita a cien kilómetros de altura sobre el pequeño mundo sin aire. Ahora, los huesos de Merlin se decoloraban en la planicie, pero la cinta había vuelto a casa y las copias de contrabando se pagaban muy caras en el mercado negro. El agudo ojo de su cámara había captado mucho.

Estaba el portal; estaba el guardián. Brillante, espléndido, sin edad definida. El robot medía tres metros de altura; era una mole cuadrada, negra, voluminosa, vagamente antropomorfa, coronada por una pequeña cúpula que hacía las veces de cabeza, elegante e inexpresiva. Detrás estaba el portal, abierto pero imposible de franquear. Y más atrás el tesoro, escogido entre la artesanía de mil mundos, abandonado allí no se sabía cuándo ni por quién.

No había joyas. Ni aburridos trozos de los así llamados metales preciosos. Las riquezas del tesoro no eran intrínsecas; ningún vándalo pensaría en fundir el tesoro para vaciarlo en burdos lingotes. Allí había esculturas de filigrana de hierro que parecían moverse y respirar. Placas grabadas del más puro plomo que nublaban la mente y el corazón. Sutiles tallas de granito que provenían de los talleres de un mundo gélido, situado a medio *parsec* de ninguna parte. Una variedad de ópalos que ardían con una luz interior y formaban artísticas curvas luminiscentes. Una hélice de madera con los colores del arco iris. Una serie de tiras óseas de algún animal, plegadas y biseladas de manera que el dibujo se volvía borroso y quizá lindaba con un *continuum* de otra dimensión. Conchas hábilmente esculpidas, una dentro de la otra, que disminuían hasta el infinito. Hojas bruñidas de árboles sin nombre. Guijarros pulidos de playas desconocidas. Un despliegue de maravillas que provocaban el vértigo y cubrían unos cincuenta metros cuadrados, desparramadas más allá del portal en asombrosa profusión.

Hombres rudos e ignorantes de los principios de la estética habían sacrificado sus vidas por el tesoro. No hacía falta ser muy refinado para apreciar su valor, para saber que coleccionistas de todas las galaxias lucharían hasta la muerte por una pieza. Las barras de oro no formaban un tesoro. Pero... ¿estas cosas? Eran imposibles de reproducir, no tenían precio.

Bolzano ya estaba empapado por la fiebre del deseo antes de que la cinta llegara a su fin. Cuando terminó, se derrumbó en su butaca, sintiéndose vacío.

Amaneció. Luces plateadas cayeron del cielo. El sol rojo salpicó el horizonte. Bolzano se permitió el lujo de una hora de sueño.

Y luego llegó la hora de comenzar...

Como medida preventiva dejaron la nave estacionada en una órbita a cinco kilómetros del mundo sin aire. Los informes antiguos no eran muy confiables y no había forma de saber a qué altura llegaba el poder del robot guardián. Si Lipescu tenía éxito, Bolzano podría descender y recogerlos... a él y al tesoro. Si Lipescu fracasaba, Bolzano aterrizaría y probaría suerte.

El gigante parecía aun más grande metido en su traje espacial y en la cápsula de aterrizaje. Llevaba la computadora en su pecho macizo; un cerebro extra, fabricado con tanta amorosa delicadeza como cualquiera de las piezas del tesoro. El guardián formularía preguntas, la computadora le ayudaría a responder. Y Bolzano estaría escuchando. Si Lipescu erraba, quizá su compañero pudiera beneficiarse conociendo el error y así tener éxito en su oportunidad.

—¿Me oyes? —preguntó Lipescu.

—Perfectamente. Sigue. ¡Adelante!

—¿Por qué tanta prisa? ¿Estás ansioso de ver cómo me mata?

—¿Tan poca confianza tienes? —preguntó Bolzano—. ¿Quieres que yo vaya primero?

—Tonto —murmuró Lipescu—. Escucha con atención. Si muero, no quiero que sea en vano.

—¿Qué te importaría eso?

La voluminosa figura giró sobre sí misma. Bolzano no podía ver la cara de su socio, pero sabía que Lipescu fruncía el ceño. El gigante retumbó:

—La vida, ¿es tan valiosa? ¿No vale la pena correr un riesgo?

—¿En beneficio mío?

—En el mío —replicó Lipescu—. Volveré.

—Entonces, ve. El robot te espera.

Lipescu se dirigió a la escotilla. Un momento después la había atravesado y se deslizaba hacia abajo; era una nave espacial unipersonal, con reactores debajo de los pies. Bolzano se apostó para vigilar junto a la pantalla de observación. Un televector enfocó a Lipescu justo en el momento en que aterrizaba envuelto en un resplandor ígneo. El tesoro y su guardián estaban a poco más de un kilómetro de distancia. Lipescu se liberó de la cápsula y se dirigió a grandes zancadas hacia el guardián que esperaba.

Bolzano vigilaba.

Bolzano escuchaba.

La pantalla del televector era de alta resolución. Resultaba muy útil para los fines de Bolzano y para la vanidad de Lipescu, ya que el gigante quería que cada momento quedara inmortalizado para la posteridad. Era interesante ver a Lipescu convertido en un enano junto al guardián. El negro robot sin rostro, acuclillado e inmóvil, medía un metro más que el hombretón.

Lipescu ordenó:

—Apártate.

La réplica del robot tuvo un matiz sorprendentemente humano, aunque carecía de cualquier tono distintivo:

—Lo que guardo no debe ser tocado.

—Yo tengo derecho a tomarlo —afirmó Lipescu.

—Otros dijeron lo mismo, pero su derecho no era auténtico. El tuyo tampoco. No me quitaré.

—Ponme a prueba —pidió Lipescu—. ¡Juzga si tengo derecho o no!

—Solamente mi amo puede pasar.

—¿Quién es tu amo? ¡Yo soy tu amo!

—Mi amo es el que manda en mí. Y nadie puede gobernarme si demuestra ignorancia en mi presencia.

—Entonces, ponme a prueba —exigió Lipescu.

—El fracaso es castigado con la muerte.

—Ponme a prueba.

—El tesoro no te pertenece.

—Ponme a prueba y hazte a un lado.

—Tus huesos se reunirán con los demás.

—Ponme a prueba —volvió a pedir Lipescu.

Vigilando desde lo alto, Bolzano se puso tenso. Su cuerpo delgado se replegó sobre sí mismo como el de una araña congelada. Ahora, cualquier cosa podía ocurrir. El robot podría proponer enigmas, como la esfinge a la que Edipo se enfrentó.

Podía exigir la demostración de teoremas matemáticos. Podía demandar la traducción de palabras extrañas. Eso era lo que suponían, después de saber lo que había hecho fracasar a otros hombres. Y, aparentemente, una respuesta equivocada significaba la muerte instantánea.

Lipescu y él habían saqueado las bibliotecas del mundo. Habían compactado todo el conocimiento —o eso creían— en su computadora. Les había tomado meses, aun con un programa múltiple. El pequeño y brillante globo metálico situado sobre el pecho de Lipescu contenía una infinidad de respuestas a una sinfín de preguntas.

Abajo se produjo un largo silencio, mientras el hombre y el robot se analizaban mutuamente. Luego el guardián solicitó:

—Define latitud.

—¿Quieres decir la latitud geográfica? —preguntó Lipescu.

Bolzano se heló de miedo. El muy idiota, ¡pidiendo una aclaración! ¡Moriría antes de empezar!

—Define latitud —repitió el robot.

La voz de Lipescu sonaba tranquila.

—La distancia angular de un punto de la superficie de un planeta al Ecuador, medida desde el centro del planeta.

—¿Cuál es más consonante —preguntó el robot—, la tercera menor o la sexta mayor?

—La tercera menor —contestó Lipescu.

Sin detenerse, el robot lanzó otra pregunta:

—Nombra los números primos entre 5.237 y 7.641.

Bolzano sonrió cuando Lipescu respondió sin esfuerzo. Por el momento, todo marchaba bien. El robot se limitaba a problemas concretos, preguntas para estudiantes que no podían comprometer a Lipescu. Y después de su vacilación inicial y su argucia con la latitud, Lipescu parecía sentirse más seguro a cada momento. Bolzano bizqueó mirando la pantalla, mirando más allá del robot, por el portal abierto, hacia donde estaban los tesoros apilados en desorden. Se preguntó cuáles le corresponderían cuando Lipescu y él los repartieran, dos tercios para Lipescu, un tercio para él.

—Nombra a los siete poetas trágicos de Elifora —pidió el robot.

—Domiphar, Halionis, Slegg, Hork-Sekan...

—Los catorce signos del zodiaco, como se ven desde Morneez —exigió el robot.

—Los Dientes, las Serpientes, las Hojas, la Cascada, el Borrón...

—¿Qué es un pedúnculo?

—El tallo de una flor individual en una inflorescencia.

—¿Cuántos años duró el sitio de Larrina?

—Ocho.

—¿Qué gritó la flor en el tercer canto de *Vehículos* de Somner?

—"Sufro, sollozo, gimo, muero" —respondió Lipescu con voz sonora.

—¿Cuál es la diferencia entre el estambre y el pistilo?

—El estambre es el órgano productor de polen de la flor; el pistilo...

Y así siguieron. Una pregunta tras otra. El robot no se dio por satisfecho con las tres preguntas legendarias de la mitología; inquirió una docena de cosas y luego siguió preguntando. Lipescu contestó perfectamente, ayudado por el susurro del inigualable compendio de conocimientos que llevaba sobre el pecho. Bolzano llevaba la cuenta cuidadosamente; el gigante había respondido bien diecisiete enigmas. ¿Cuándo se rendiría el robot? ¿Cuándo daría por terminado su torvo cuestionario y se haría a un lado?

Hizo la pregunta número dieciocho, patéticamente sencilla. Sólo quería una exposición del teorema de Pitágoras. Lipescu ni siquiera consultó la computadora para eso. Respondió breve, concisa, acertadamente. Bolzano se enorgulleció de su enorme socio.

Y entonces el robot mató a Lipescu.

Sucedió en un abrir y cerrar de ojos. La voz de Lipescu había callado y estaba allí, presta para la siguiente pregunta, pero ésta nunca llegó. En cambio, una compuerta del vientre curvo del robot se abrió y un objeto reluciente y sinuoso salió con un chasquido, desenrollándose a lo largo de los tres metros que separaban al guardián del retador, y partió en dos a Lipescu. La brillante arma se deslizó hacia atrás, ocultándose. El tronco de Lipescu cayó hacia un lado. Sus piernas macizas permanecieron absurdamente plantadas por un momento; luego se doblaron, una pierna enfundada en el traje espacial se contrajo una vez y todo quedó en silencio.

Atontado, Bolzano temblaba en la soledad de la cabina y su linfa se transformó en agua. ¿Qué había salido mal? Lipescu dio la respuesta correcta a todas las preguntas y sin embargo el robot lo había matado. ¿Por qué? ¿Acaso el gigantón expuso mal el teorema de Pitágoras? No; Bolzano lo había oído. La respuesta fue perfecta, como las diecisiete que la precedieron. Aparentemente, el robot se aburrió del juego entonces. El robot había hecho trampa. Arbitraria, maliciosamente, golpeó a Lipescu, castigándolo por una respuesta correcta.

Bolzano se preguntó si los robots podían hacer trampa. ¿Podrían ser malintencionados y rencorosos? No conocía a ningún robot capaz de esas cosas, pero aquel era diferente a todos los robots.

Durante un largo rato, Bolzano estuvo acurrucado en la cabina. La tentación de abandonar la órbita y dirigirse a casa, sin el tesoro pero vivo, era imperiosa. Pero el tesoro lo seducía. Un impulso suicida lo empujaba. Como una sirena, el robot lo arrastraba hacia abajo.

Tenía que existir una forma de vencer al robot, pensó Bolzano, mientras conducía su pequeña nave hacia la amplia y estéril planicie. El uso de la computadora fue una buena idea, cuyo único defecto era su inutilidad. Los archivos históricos no eran muy confiables, pero todo parecía indicar que cuando respondían incorrectamente después de una serie de aciertos los hombres morían; Lipescu no había errado, no obstante, también estaba muerto. Era inconcebible que el robot considerara otra relación entre el cuadrado de la hipotenusa y el de los catetos diferente a la que expresara Lipescu.

Bolzano se preguntó qué sistema funcionaría.

Anduvo con dificultad a través de la llanura hacia el portal y su guardián. Una idea se gestó en su mente mientras andaba dando traspiés.

Sabía que estaba condenado a morir por su ambición. Solamente una gran agilidad mental podría salvarlo de compartir el destino de Lipescu. La inteligencia común no servía. La astucia de Ulises era la única salvación.

Bolzano se acercó al robot, que estaba parado sobre el osario. Lipescu yacía en el charco de su propia sangre. Bolzano sabía que la computadora descansaba sobre su enorme pecho inerte. Pero se resistió a recogerla. Lo haría sin ella. Desvió la mirada; no quería que la visión del cuerpo destrozado de Lipescu lo distrajera.

Hizo acopio de todo su valor. El robot se mostraba indiferente hacia él.

—Déjame pasar —ordenó Bolzano—. Aquí estoy. Vengo por el tesoro.

—Debes ganar tu derecho al tesoro.

—¿Qué debo hacer?

—Demuestra la verdad —exigió el robot—. Revela la esencia. Prueba tu entendimiento.

—Estoy listo —aseguró Bolzano.

El robot hizo una pregunta:

—¿Cómo se llama el órgano excretor del riñón de los vertebrados?

Bolzano meditó. No tenía la menor idea. La computadora podía habérselo dicho, pero la dejó atada al torso de Lipescu. No le hacía falta. El robot exigía verdad, esencia, comprensión. Lipescu le había ofrecido información. Lipescu estaba muerto.

—La rana en el estanque —contestó Bolzano— lanza un grito azulado.

Se hizo el silencio. Bolzano vigilaba al robot, esperando que se abriera la compuerta y que la cosa sinuosa lo rajara por la mitad.

El robot habló:

—Durante la Guerra de los Perros, en Vanderveer IX, los colonos redactaron treinta y ocho dogmas de desafío. Cita el tercero, el noveno, el vigésimo segundo y el trigésimo quinto.

Bolzano meditó. Éste era un robot extraño, producto de una mano desconocida. ¿Cómo funcionaría la mente de su amo? ¿Respetaría el conocimiento? ¿Atesoraría hechos porque sí? ¿O reconocería que la información por sí sola carece de sentido y la intuición es un proceso ilógico?

Lipescu había sido lógico. Y yacía despedazado.

—La simplicidad del dolor —respondió Bolzano— es inefable y refrescante.

El robot continuó:

—El monasterio de Kwaisen fue sitiado por los esbirros de Oda Nobunaga el 3 de abril de 1582. ¿Qué sabias palabras pronunció el abad?

Bolzano habló rápida y vivazmente:

—Once, cuarenta y uno, elefante, voluminoso.

La última palabra se le escapó entre los labios a pesar de su esfuerzo por contenerla. Los elefantes eran voluminosos, pensó. ¿Un desliz fatal? El robot no pareció advertirlo.

Sonora y pesadamente, la enorme máquina propuso la siguiente pregunta:

—¿Qué porcentaje de oxígeno hay en la atmósfera de Muldonar VII?

—El testigo falaz esgrime una espada ágil —dijo Bolzano.

El robot hizo un extraño ruido, un zumbido. Bruscamente se deslizó por unos grandes rieles, moviéndose un par de metros hacia la izquierda. El portal del tesoro estaba abierto y lo invitaba a entrar.

—Puedes pasar —anunció el robot.

El corazón de Bolzano dio un vuelco. ¡Había ganado! ¡Ganó el premio mayor!

Otros fracasaron, el más reciente no tenía ni una hora, y sus huesos centelleaban en la llanura. Habían tratado de responder al robot, a veces bien y a veces mal, y todos estaban muertos. Bolzano vivía.

Era un milagro, pensó. ¿Buena suerte? ¿Astucia? Un poco de las dos, se dijo. Había visto cómo un hombre acertaba dieciocho veces y moría. Así que la precisión de las respuestas no le interesaba al robot. Y entonces, ¿qué quería? Esencia. Comprensión. Verdad.

Podía haber esencia, comprensión y verdad en respuestas incoherentes, aventuró Bolzano. Donde un esfuerzo serio había fracasado, la burla tenía éxito. Apostó su vida a la incoherencia y el premio era suyo.

Avanzó vacilante hacia la bóveda del tesoro. Pese a la mínima gravedad, sentía los pies de plomo. La tensión desapareció. Se arrodilló entre los tesoros.

Las cintas, los agudos ojos del televector, ni siquiera habían comenzado a sugerir el esplendor de lo que allí había. Bolzano contempló, transportado, sintiendo un temor reverente, un pequeño disco cuyo diámetro no era mayor que el de un ojo humano; contenía una miríada de líneas espirales que danzaban y se retorcían formando diseños de belleza nunca vista. Contuvo el aliento, sollozando con el dolor de la revelación, cuando una resplandeciente espiral de mármol que viraba en extraños ángulos quedó ante su vista. Un brillante escarabajo de alguna sustancia cerúlea y frágil reposaba sobre un pedestal de jade amarillo... un trozo de malla metálica proyectaba dibujos luminosos que producían vértigo. Más allá... más lejos... en el rincón...

"Es el rescate de un universo", pensó Bolzano.

Necesitaría muchos viajes para llevar todo aquello hasta la nave. Quizá sería mejor acercar la nave al tesoro. Pero se preguntó si no perdería su ventaja al salir por el portal. ¿Tendría que volver a someterse nuevamente a la prueba para volver a entrar? Y el robot, ¿admitiría sus respuestas de buen grado la próxima vez?

Bolzano se decidió a correr el riesgo. Su mente astuta ideó un plan. Eligiría una o dos docenas de los objetos más valiosos, todo lo que pudiera llevar cómodamente, y los depositaría en la nave. Luego aterrizaría junto al portal. Si el robot le negaba el acceso, Bolzano simplemente se marcharía, llevándose lo que ya había escogido. Era una tontería correr riesgos innecesarios. Cuando hubiese vendido el cargamento y necesitara dinero, siempre podría volver y tratar de entrar nuevamente. Por cierto que nadie robaría el botín, aunque lo dejara allí.

La selección, ésa era la clave ahora.

Agachándose, Bolzano eligió las cosas más pequeñas y fáciles de vender. ¿La espiral de mármol? Demasiado estorbosa. Pero el pequeño disco sí, ciertamente, y el escarabajo por supuesto, y esa estatuilla de tonalidad suave, y los camafeos que mostraban escenas que ningún ojo humano había presenciado nunca, y esto, y aquello y eso además...

Su pulso se aceleró. Su corazón latía con fuerza. Se vio viajando de mundo en mundo, vendiendo sus mercancías. Coleccionistas, museos y gobiernos rivalizarían para obtener esos trofeos. Los dejaría ofrecer millones antes de vender. Y, por supuesto, guardaría uno o dos —o quizá tres o cuatro— para él, como recuerdo de esta peligrosa aventura.

Y algún día, cuando la riqueza lo aburriera, se decidiría a volver y a encarar nuevamente el desafío. Obligaría al robot a que volviera a interrogarlo y replicaría con incoherencias arbitrarias, demostrando que había captado la esencia fundamental de que el conocimiento es hueco, y el robot le permitiría entrar nuevamente a la bóveda del tesoro.

Bolzano se puso de pie. Acunó las maravillas en sus brazos. "Con cautela, con cautela", pensó. Volviéndose, atravesó el portal.

El robot no se había movido. No se había mostrado interesado mientras Bolzano saqueaba el tesoro. El hombrecito pasó a su lado, con andar sereno.

El robot habló:

—¿Por qué tomaste esas cosas? ¿Para qué las quieres?

Bolzano sonrió. Respondió con indiferencia:

—Las he cogido porque son bellísimas. Porque me gustan. ¿Existe una razón mejor?

—No —confirmó el robot, y su compuerta se abrió en su gigantesco pecho negro.

Bolzano comprendió demasiado tarde que la prueba no había concluido, que la pregunta del robot no nacía de la simple curiosidad. Y esta vez respondió en serio, hablando racionalmente.

Bolzano aulló. Vio el brillo que se le venía encima.

Su muerte fue instantánea.

# Lección de historia

Arthur C. Clarke

Nadie recordaba cuándo la tribu había comenzado su largo peregrinaje. La tierra de las grandes planicies onduladas que había sido su primer hogar era ya solamente un sueño casi olvidado.

Por muchos años, Shann y su gente habían huido por un país de colinas bajas y lagos resplandecientes, y ahora las montañas quedaban frente a ellos. Este verano debían cruzarlas hacia las tierras del sur. No había tiempo que perder. El terror blanco que había bajado de los Polos, convirtiendo los contintentes en polvo y congelando el aire mismo, estaba a menos de un día de marcha tras ellos.

Shann se preguntaba si los glaciares podrían escalar las montañas, y en su corazón se atrevía a alimentar una llama de esperanza. Quizás serían una barrera a la cual, incluso el despiadado hielo, golpearía en vano. En las tierras del sur de las que hablaban las leyendas, su gente encontraría un refugio al fin.

Tomó semanas descubrir un paso por el cual pudieran viajar la tribu y los animales. Cuando llegó el verano, acamparon en un solitario valle donde el aire era ligero y las estrellas brillaban con una claridad nunca antes vista.

El verano llegaba a su ocaso cuando Shann tomó a sus dos hijos y se adelantó a explorar el camino. Ascendieron por tres días, y por tres noches durmieron lo mejor que pudieron sobre las congeladas rocas. Y a la cuarta mañana no había nada delante de ellos más que una suave pendiente hacia un montículo de piedras grises, erigido siglos antes por otros viajeros.

Shann sintió que temblaba, pero no de frío, mientras caminaban hacia la pequeña pirámide de piedras. Sus hijos se habían quedado atrás. Nadie hablaba, pues había demasiado en juego. En poco tiempo sabrían si todas sus esperanzas habían sido traicionadas.

Al Este y al Oeste, la pared de montañas se curvaba, como si abrazara la tierra a sus pies. Debajo yacían incontables kilómetros de sinuosa llanura, por la cual serpenteaba un río en sorprendentes meandros. Era una tierra fértil, en la que la tribu podría cultivar sabiendo que no habría necesidad de huir antes de que llegara la cosecha.

Entonces Shann volvió sus ojos hacia el Sur, y vio la ruina de todas sus esperanzas. Pues allí, en la orilla del mundo, brillaba esa luz de muerte que tantas veces había visto en el Norte... el fulgor del hielo en el horizonte.

No había camino hacia adelante. Durante todos los años de huida, los glaciares del sur habían estado avanzando para encontrarse con ellos. Pronto serían aplastados por las movedizas paredes de hielo...

Los glaciares del Sur alcanzaron las montañas una generación después. En ese último verano los hijos de Shann llevaron los tesoros sagrados de la tribu al solitario montículo que dominaba la planicie. El hielo que antes había brillado en el horizonte estaba ahora a sus pies. Para la primavera estaría estrellándose contra las paredes de las montañas.

Nadie comprendía los tesoros ahora. Pertenecían a un pasado demasiado distante para el entendimiento de cualquier hombre. Sus orígenes se perdían en las brumas que rodeaban a la Edad de Oro, y cómo habían llegado a esta tribu errante era una historia que jamás podría ser contada. Pues era la historia de una civilización que había quedado más allá del recuerdo.

Antes, estas tristes reliquias habían sido atesoradas por una buena razón; y ahora se habían vuelto sagradas a pesar de que su significado se había perdido. La impresión de los viejos libros se había desvanecido hacía siglos, aunque la mayoría de las inscripciones eran aún visibles... si es que había algo que leer. Pero muchas generaciones habían pasado desde que alguien había dado uso a un juego de logaritmos de siete cifras, un atlas del mundo y la partitura de la Séptima Sinfonía de Sibelius, impresa, según la solapa, por H. K. Chu e Hijos, en la ciudad de Pekín, en el año 2371 d.C.

Los viejos libros fueron colocados reverentemente en la pequeña cripta construida para recibirlos. Siguió una heterogénea colección de fragmentos: monedas de oro y platino, una lente de telefoto rota, un reloj de pulsera, una lámpara de luz fría, un micrófono, la navaja de una rasuradora eléctrica, algunos diminutos tubos de radio... los restos olvidados cuando la gran marea de la civilización hubo menguado para siempre.

Todos estos tesoros fueron cuidadosamente almacenados en su lugar de reposo. Entonces vinieron tres reliquias más, las más sagradas de todas por ser las menos comprendidas.

La primera era una pieza de metal de extraña forma, que mostraba la coloración del calor intenso. A su manera, era el más patético de todos estos símbolos del pasado, pues representaba el mayor logro del hombre y el futuro que pudo haber conocido. El pedestal de caoba sobre el cual estaba montada llevaba una placa de plata con la inscripción:

Encendedor Auxiliar del Motor de Estribor
Nave Espacial *Lucero del Alba*
Tierra-Luna, 1985 d.C.

Después siguió otro milagro de la ciencia antigua: una esfera de plástico transparente incrustada con piezas de metal de formas raras. En su centro había una pequeñísima cápsula de un radioelemento sintético, rodeada por las pantallas convertidoras que desplazaban su radiación muy por debajo del espectro. En tanto que el material siguiera activo, la esfera sería un diminuto transmisor de radio, que emitía energía en todas direcciones. Sólo se habían fabricado unas cuantas de estas esferas. Se les había diseñado para que fueran faros perpetuos que marcaran las órbitas de los asteroides. Pero el hombre nunca había llegado a los asteroides y las esferas nunca fueron usadas.

Lo último de todo era una lata circular y plana, ancha en comparación con su profundidad. Estaba fuertemente sellada, y sonaba cuando se le agitaba. Las enseñanzas de la tribu predecían que sobrevendría el desastre si se le abría, y nadie sabía que contenía una de las más grandes obras de arte de casi mil años atrás.

El trabajo había terminado. Los dos hombres rodaron las rocas a su lugar original y comenzaron a descender lentamente por la ladera de la montaña. Hasta el fin, el hombre había pensado en el futuro y había intentado preservar algo para la posteridad.

Ese invierno, las grandes olas de hielo comenzaron su primer asalto contra las montañas, atacando de norte a sur. Sus faldas fueron abatidas con la primera embestida, y los glaciares las trituraron y pulverizaron. Pero las montañas permanecieron firmes, y cuando llegó el verano el hielo se retiró por un tiempo.

Así, invierno tras invierno, la batalla continuó; y el rugido de las avalanchas, la demolición de la roca y los estallidos del hielo llenaron el aire de conmoción. Ninguna guerra del hombre fue tan feroz como ésta, e incluso sus batallas nunca arrasaron al planeta de este modo.

Finalmente, las marejadas de hielo comenzaron a amainar y descender lentamente por los flancos de las montañas que en realidad nunca habían abandonado. Pero aún tenían en su poder los valles y los pasos. La batalla terminó en tablas. Los glaciares se habían topado con su igual, pero su derrota fue demasiado tardía para ser útil al hombre.

Así pasaron los siglos, y pronto ocurrió algo que debe ocurrir por lo menos una vez en la historia de cada mundo del universo, sin importar cuán remoto y solitario sea.

La nave de Venus vino cinco mil años después, pero su tripulación no sabía nada de esto. A pesar de estar a muchos millones de kilómetros de distancia, los telescopios habían visto la mortaja de hielo que hacía de la Tierra el más brillante objeto en el cielo después del sol.

Aquí y allá la deslumbrante sábana estaba herida por manchas negras que revelaban la presencia de las casi enterradas montañas. Eso era todo. Los océanos ondulantes, las planicies y los bosques, los desiertos y los lagos: todo lo que antes fue el mundo del hombre estaba sellado bajo el hielo, quizá para siempre.

La nave se acercó a la Tierra, y estableció una órbita a menos de mil seiscientos kilómetros. Por cinco días circunvoló el planeta, mientras las cámaras grababan todo lo que se podía ver y cien instrumentos recogían información que daría a los científicos venusinos muchos años de trabajo.

No planeaban aterrizar realmente. No parecía que tuviera mucho caso. Pero al sexto día el cuadro cambió. Un monitor panorámico, llevado al límite de su capacidad de amplificación, detectó la agonizante radiación del faro de cinco mil años de edad. A través de los siglos, había estado enviando su señal con fuerza cada vez más menguada, pues su corazón radioactivo se debilitaba continuamente.

El monitor se inmovilizó sobre la frecuencia del faro. En la sala de control, una campana sonó reclamando atención. Poco después, la nave venusina se liberó de su órbita y se dirigió hacia la Tierra, hacia una cordillera montañosa que aún se erguía orgullosamente por encima del hielo, y hacia un montículo de rocas grises que los años casi no habían tocado.

El gran disco del sol ardía ferozmente en un cielo libre del velo de la bruma, pues las nubes que antaño escondían a Venus se habían retirado completamente. Cualquiera que hubiese sido la fuerza que causó el cambio en la radiación solar, había condenado a una civilización pero dio origen a otra. Menos de cinco mil años antes, el pueblo semisalvaje de Venus había visto el sol y las estrellas por primera vez. Así como la ciencia de la Tierra había comenzado con la astronomía, lo mismo ocurrió con la de Venus, y en el cálido y rico mundo que el hombre nunca vio, el progreso fue increíblemente rápido.

Quizás los venusinos habían sido afortunados. Nunca conocieron la Edad del oscurantismo que encadenó al hombre por mil años. Se perdieron del gran rodeo por la química y la mecánica, y llegaron de inmediato a las leyes más fundamentales de la física de la radiación. En el tiempo que le tomó al hombre evolucionar de las pirámides a las naves espaciales de propulsión a chorro, los venusinos habían pasado del descubrimiento de la agricultura a la antigravedad misma: el secreto esencial que el hombre nunca descubrió.

El tibio océano que aún albergaba la mayoría de la vida del joven planeta deslizó sus olas lánguidamente por la arenosa orilla. Tan nuevo era este continente que las arenas eran gruesas y ásperas. Todavía no había pasado suficiente tiempo para que el mar las suavizara.

Los científicos estaban metidos a medias en el agua; sus hermosos cuerpos de reptil brillaban bajo la luz del sol. Las mejores mentes de Venus que se habían reunido en esta orilla venían de todas las islas del planeta. No sabían qué escucharían, excepto que estaba relacionado con el Tercer Planeta y la misteriosa raza que lo había poblado antes de la llegada del hielo.

El Historiador estaba parado sobre la tierra, pues los instrumentos que deseaba usar no tenían ningún aprecio por el agua. A su lado se encontraba una gran máquina que atrajo muchas miradas ansiosas de sus colegas. Se vinculaba claramente con la óptica, pues un sistema de lentes proyectaba sobre una pantalla de material blanco a unos doce metros de distancia.

El Historiador comenzó a hablar. Recapituló brevemente lo poco que habían descubierto en relación con el Tercer Planeta y su gente.

Mencionó los siglos de investigaciones infructuosas que no habían logrado interpretar una sola palabra de los escritos de la Tierra. El planeta estaba habitado por una raza de gran habilidad técnica. Por lo menos eso se había comprobado gracias a las pocas piezas de maquinaria que se habían encontrado en el montículo de la montaña.

"No sabemos por qué se extinguió una civilización tan avanzada —observó—. Es casi seguro

que tuviera el suficiente conocimiento para sobrevivir a una Edad de Hielo. Debió haber otro factor
del cual no sabemos nada. Posiblemente una en-
fermedad o una degeneración racial fue la causan-
te. Se ha sugerido que los conflictos endémicos a
nuestra propia especie en los tiempos prehistóri-
cos continuaran en el Tercer Planeta después del
advenimiento de la tecnología.

"Algunos filósofos sostienen que el conocimiento de las máquinas no implica necesariamente un grado de civilización, y es teóricamente
posible tener guerras en una sociedad que posee
poder mecánico, vuelo, e incluso radio. Tal concepción es ajena a nuestro pensamiento, pero debemos admitir la posibilidad. Con seguridad estaría
relacionada con el ocaso de la raza perdida.

"Siempre se ha asumido que nunca sabremos nada acerca de la forma física de las criaturas
que vivieron en el Planeta Tres. Durante siglos,
nuestros artistas han representado escenas de la
historia del mundo muerto, poblándolo con toda
suerte de seres fantásticos. La mayoría de estas
creaciones se asemejan a nosotros más o menos
claramente, a pesar de que con frecuencia se ha
señalado que no porque *nosotros* seamos reptiles,
toda la vida inteligente debe ser necesariamente
de nuestra especie.

"Ahora conocemos la respuesta a uno de
los más desconcertantes problemas de la historia.
Al fin, después de cientos de años de investigación, hemos descubierto la forma y naturaleza
exactas de la vida que rigió el Tercer Planeta."

Hubo un murmullo de asombro de los científicos allí reunidos. Algunos fueron tomados por

tal sorpresa que desaparecieron por un momento bajo la comodidad del océano, como todos los venusinos se inclinaban a hacer en momentos de tensión. El Historiador esperó hasta que sus colegas emergieron del elemento que tanto les gustaba. Él se encontraba bastante cómodo, gracias a las pequeñas duchas que continuamente rociaban su cuerpo. Con su ayuda, podía vivir sobre la tierra por muchas horas antes de tener que volver al océano.

La emoción disminuyó gradualmente, y el conferencista continuó:

"Uno de los más enigmáticos objetos encontrados en el Planeta Tres fue un recipiente plano de metal que contenía una gran extensión de un material plástico transparente, perforado en las orillas y enrollado firmemente a una bobina. Al principio, esta cinta transparente no parecía tener ningún rasgo característico, pero un examen con el nuevo microscopio subelectrónico ha demostrado que éste no es el caso. A lo largo de la superficie del material, invisible a nuestros ojos pero perfectamente claro bajo la radiación correcta, hay, literalmente, miles de pequeñas pinturas. Se cree que fueron impresas sobre el material por algún medio químico, y se han difuminado con el paso del tiempo.

"Aparentemente, estos cuadros forman un registro de la vida del Tercer Planeta en la cumbre de su civilización. No son independientes. Las pinturas consecutivas son casi idénticas, y difieren únicamente en el detalle del movimiento. Sólo es necesario proyectar las escenas en una rápida sucesión para provocar una ilusión de movimiento continuo. Hemos fabricado una máquina para hacer esto, y tengo aquí una reproducción exacta de la secuencia de cuadros.

"Las escenas de las que ahora serán testigos nos llevan muchos miles de años atrás, a los días grandiosos de nuestro hermano planeta. Muestran una civilización compleja, muchas de cuyas actividades sólo podemos comprender vagamente. La vida parece haber sido violenta y energética, y mucho de lo que verán es un tanto misterioso.

"Es claro que el Tercer Planeta estaba habitado por varias especies, ninguna de ellas de los reptiles. Eso es un golpe a nuestro orgullo, pero la conclusión es ineludible. El tipo de vida dominante parece haber sido un bípedo de dos brazos. Caminaba erguido y cubría su cuerpo con algún material flexible, probablemente para protegerse del frío, pues incluso antes de la Edad de Hielo ese planeta estaba a una temperatura mucho más baja que el nuestro. Pero no retaré a su paciencia por más tiempo. Ahora verán el registro del cual he estado hablando."

El proyector despidió una brillante luz. Hubo un suave zumbido, y sobre la pantalla aparecieron cientos de seres extraños moviéndose bruscamente hacia adelante y hacia atrás. La pintura se extendía para abrazar a una de las criaturas, y los científicos pudieron ver que la descripción del Historiador había sido correcta.

La criatura tenía dos ojos, colocados muy cerca el uno del otro, pero el resto de los adornos faciales eran un tanto oscuros. Había un gran orificio en la porción baja de la cabeza, que se abría y cerraba continuamente. Quizás tenía algo que ver con la respiración de la criatura.

Los científicos miraban hechizados cómo el extraño ser se veía involucrado en una serie de aventuras fantásticas. Tenía un conflicto de increíble violencia con otra criatura ligeramente diferente. Parecía seguro que ambos debían morir, pero cuando todo terminó ninguno se veía herido.

Entonces vino una furiosa carrera por kilómetros de tierra en un artefacto mecánico con cuatro ruedas, que era capaz de extraordinarias hazañas de locomoción. El recorrido terminó en una ciudad atestada de vehículos moviéndose en todas direcciones a velocidades pasmosas. Nadie parecía sorprendido de ver a dos de las máquinas chocar de frente con resultados devastadores.

Después de eso, los eventos se tornaron aun más complicados. Ahora era ya bastante obvio que tomaría muchos años de investigación analizar y comprender todo lo que estaba ocurriendo. Quedaba también claro que el registro era una obra de arte, algo estilizada, más que una reproducción exacta de la vida tal como había sido en el Tercer Planeta.

La mayoría de los científicos se sentían completamente aturdidos cuando la secuencia de cuadros terminó. Hubo una ráfaga final de movimiento, en la cual la criatura que había sido el centro de interés se veía envuelta en una tremenda pero incomprensible catástrofe. La pintura se contraía en un círculo, centrado en la cabeza de la criatura.

La última escena era una imagen amplificada de su cara, que evidentemente expresaba alguna poderosa emoción. Pero no se podía adivinar si era furia, dolor, desafío, resignación o algún otro sentimiento. El cuadro se desvaneció. Por un momento aparecieron algunas letras sobre la pantalla, y luego todo había terminado.

Hubo completo silencio durante varios minutos, excepto por el suave chapoteo de las olas sobre la arena. Los científicos estaban demasiado apabullados para hablar. La fugaz vista de la civilización terrestre había tenido un efecto aniquilador en sus mentes. Luego comenzaron a hablar entre ellos unos pequeños grupos, primero en murmullos y luego más y más fuertemente conforme las implicaciones de lo que habían visto se esclarecían. Poco después, el Historiador pidió atención y se dirigió de nuevo a los ahí reunidos.

"Estamos planeando —dijo— un amplio programa de investigación para extraer todo el conocimiento disponible en este registro. Se están elaborando miles de copias para su distribución a todos los trabajadores. Apreciarán ustedes los problemas a los cuales nos enfrentamos. Los psicólogos en particular tienen una inmensa tarea por delante.

"Pero no dudo que tendremos éxito. En una generación más, ¿quién podrá decir que no habremos comprendido a esta fantástica raza? Antes de irnos, veamos de nuevo a nuestros primos lejanos, cuya sabiduría pudo haber superado a la nuestra pero de la cual ha sobrevivido tan poco."

Una vez más, el cuadro final fulguró sobre la pantalla, esta vez inmóvil, pues el proyector había sido detenido. Con algo semejante al espanto, los científicos miraron la imagen fija del pasado, mientras que a su vez el bípedo los contemplaba con su característica expresión de mal carácter.

Por el resto del tiempo simbolizaría a la raza humana. Los psicólogos de Venus analizarían sus acciones y contemplarían cada uno de sus movimientos hasta que pudieran reconstruir su mente. Se escribirían miles de libros sobre él. Intrincados filósofos se las ingeniarían para explicar su conducta.

Pero toda esta labor, todas estas investigaciones serían completamente inútiles. Quizás la orgullosa y solitaria figura de la pantalla les sonreía sardónicamente a los científicos que comenzaban su eterna y estéril búsqueda.

Su secreto estaría seguro mientras el universo existiera, pues ahora nadie podría leer el perdido lenguaje de la Tierra. Esas pocas palabras resplandecerían sobre la pantalla millones de veces en las épocas por venir, y nadie adivinaría nunca su significado:

Una producción de Walt Disney.

# Recuerdo perdido

Isaac Asimov

Transcurridos miles de siglos recordó que era Ames. No esa fusión de longitudes de onda que por toda la galaxia era ahora el equivalente de Ames, sino el sonido que correspondía a la pronunciación de su nombre. Nació así una pálida evocación de las ondas sonoras que ahora no percibía, y que no percibiría nunca más.

El nuevo proyecto aguzaba su memoria, resucitando tantas y tantas cosas extraviadas en la noche de los tiempos. Condensó las cargas de energía que constituían el conjunto de su individualidad, y sus líneas de fuerza se extendieron más allá de las estrellas.

La respuesta de Brock llegó hasta él.

Podía confiar en Brock, pensó Ames. Estaba seguro.

El flujo energético de Brock entró en contacto con el suyo.

—¿No vas a venir, Ames?

—Claro que sí.

—¿Participarás en el concurso?

—Sí— Las líneas de fuerza de Ames se agi-

taron con intensas pulsaciones—. Sin duda. He soñado una nueva forma artística. Algo original.

—¡Cuánto esfuerzo derrochado en vano! ¿Cómo
puedes creer que exista una nueva variante, después de dos mil siglos? No podemos descubrir nada
nuevo.

Por un instante Brock se desfasó, interrumpiendo el contacto, y Ames se vio obligado a re-
ajustar sus líneas de fuerza. Captó entonces extraños
pensamientos a la deriva, le llegó una visión de
galaxias polvorientas sobre el telón aterciopelado
de la nada, percibió las líneas de fuerza de torren-
tes insondables de energía vida, errantes por toda
la galaxia.

—Absorbe mis pensamientos, por favor,
Brock —pidió Ames—. No bloquees tu mente. Se
me ocurrió cómo manipular la materia. ¡Imagínate!
Una sinfonía de materia. ¿Por qué llenarse de energía? No hay nada nuevo en la energía, y lo sabes.
¿No prueba eso que debemos experimentar con la
materia?

—¿La materia?

Ames registró las vibraciones energéticas de
Brock y las interpretó como manifestaciones des-
pectivas.

—¿Por qué no? —dijo—. ¿Acaso no fuimos
antes materia? De eso hace un quintillón de años,
por lo menos. ¿Por qué no construir objetos o
incluso formas abstractas partiendo de la materia?
Escucha, Brock, ¿por qué no moldear una réplica
de nosotros mismos en materia, en nuestra forma
original?

—No recuerdo nuestro aspecto —replicó
Brock—. Ya todos lo olvidaron.

—Yo sí —dijo Ames con vehemencia—. No pienso en otra cosa, y comienzo a recordar. Brock, déjame mostrarte. Dime que tengo razón. Dímelo.

—No. Es estúpido. Me repugna.

—Déjame intentarlo, Brock. Hemos sido amigos. Hemos reunido nuestra energía desde el principio, desde el momento en que nos convertimos en lo que somos. ¡Brock, te lo suplico... por favor!

—Entonces, hazlo rápido.

Ames no había sentido correr un temblor igual, a lo largo de sus líneas de fuerza, desde ¿cuánto tiempo? Si lo intentaba ahora ante Brock y tenía éxito, se atrevería a manipular la materia delante de la asamblea de seres energéticos que esperaban en vano el nacimiento de una novedad desde hacía varios milenios.

La materia se hallaba ahora muy dispersa, en los intersticios de las galaxias, pero Ames la concentró, barrió volúmenes que sumaban años-luz elevados al cubo, seleccionó los átomos, obtuvo una consistencia gelatinosa y obligó a la materia a disponerse en forma ovoidal, alargada en su parte inferior.

—¿No recuerdas, Brock, si era como esto?

El haz energético de Brock se conmovió con una sacudida en fase.

—No recuerdo nada.

—Eso era la cabeza. Así la llamaban; cabeza. La recuerdo tan bien que podría pronunciar el nombre. Quiero decir, emitir sus sonidos—. Esperó un momento, y dijo: —Mira, ¿recuerdas esto?

En la parte superior del ovoide apareció la palabra CABEZA.

—¿Qué es? —preguntó Brock.

—Es el término que designa la cabeza. Los símbolos que representaban esa palabra en su traducción sonora. ¡Dime que lo puedes recordar ahora, Brock!

—Había algo —Brock vaciló—. Algo a la mitad. Y tomó forma un cuerpo vertical.

—¡Sí, claro! ¡La nariz, eso es! —dijo Ames, y apareció la palabra NARIZ en el lugar indicado—. Y aquí están los ojos, a ambos lados.

¿En realidad deseaba lo que estaba haciendo?

—La boca —dijo, sus líneas de fuerza temblaban—. Y el mentón, y la manzana de Adán, y las clavículas. ¡Voy recordando los nombres!

—No había pensado en todo esto en varios miles de siglos. ¿Por qué lo trajiste a mi memoria? ¿Por qué?

Ames estaba absorto en sus pensamientos. Había otras cosas, el órgano del oído y sus receptores de ondas sonoras. ¡Las orejas! ¿Dónde hay que ponerlas? No recuerdo nada.

—Olvídalo todo. Las orejas y todo lo demás. ¡No lo recuerdes! —le gritó Brock.

—¿Qué hay de malo en recordar? —preguntó Ames, herido.

—Que la superficie no era áspera ni fría como tu escultura, sino dulce y tibia. Que los ojos eran tiernos y vivos, y los labios de la boca trémulos y acariciantes se posaban sobre los míos.

Las líneas de fuerza de Brock palpitaban y se apagaban intermitentemente...

—¡Me duele tanto!

—Me recordaste que antes fui mujer, y que conocí el amor. Que los ojos no sólo sirven para ver, y que ahora no tengo con qué llenar ese vacío.

Entonces ella añadió materia violentamente a la cabeza elaborada en forma burda, y gimió:

—Pues bien, que esto la termine —giró y se fue.

Y Ames comprendió que antes fue hombre. La fuerza de su energía partió en dos la cabeza. Salió velozmente por las galaxias, siguiendo el rastro energético de Brock, para volver al inexorable destino de la vida.

Los ojos de la cabeza resquebrajada seguían brillando con la humedad que depositó Brock, cuando quiso representar las lágrimas. Y la cabeza de materia logró lo que los seres energéticos no podrían conseguir en toda su existencia: lloró por la humanidad entera y por la frágil belleza de los cuerpos a los que un día los hombres renunciaron, miles de siglos atrás.

# De cómo Ergio, el autoinductivo, mató a un carapálida

Stanislaw Lem

El poderoso rey Boludar era amante de las curiosidades, y se dedicaba por completo a coleccionarlas, por lo que con frecuencia olvidaba importantes asuntos de Estado. Tenía una colección de relojes bailarines, relojes de amanecer y relojes nube. Poseía monstruos disecados provenientes de cada rincón del universo, y, en un cuarto especial, bajo una campana de cristal, guardaba la más rara de las criaturas: el *homos antropos*, increíblemente pálido, bípedo, que incluso tenía ojos, aunque vacíos. El rey ordenó que se incrustaran dos hermosos rubíes en ellos, dándole al *homos* una mirada roja. Siempre que Boludar se ponía un poco ebrio invitaba a sus comensales favoritos a esta habitación y les enseñaba el horrible cuerpo.

Un día llegó a la corte del rey un electrosabio tan viejo que los cristales de su mente se habían desordenado un poco con la edad. Sin embargo, este electrosabio, llamado Halazon, poseía la sabiduría de toda una galaxia. Se decía que sabía la forma de enristrar fotones, produciendo así collares de luz; e incluso sabía cómo capturar un *antropos* vivo. Conociendo la debilidad del viejo, el rey ordenó que sus bodegas de vino fueran abiertas de inmediato; después de tomar unos tragos de más de la jarra de Leyden, y cuando los agradables flujos corrían por sus extremidades, el electrosabio reveló al rey un terrible secreto, y le prometió conseguirle un *antropos*, gobernante de cierta tribu interestelar. El precio que puso era alto —el peso del *antropos* en diamantes del tamaño de un puño—, pero el rey ni siquiera parpadeó.

Entonces Halazon partió a su viaje. Mientras tanto, el rey comenzó a presumir al consejo real su esperada adquisición, que de cualquier forma no podía esconder; para entonces ya había ordenado la construcción de una jaula en el parque del castillo, donde crecían unos cristales magníficos ante una jaula de gruesos barrotes de hierro. La corte se hundió en una gran consternación. Viendo que el rey no cedería, los consejeros mandaron llamar al castillo a dos eruditos homologistas, a quienes el rey recibió calurosamente, pues tenía curiosidad de cuánto podrían decirle los sabios, Salamid y Thaladon, sobre el pálido ser que aún no conocía.

—¿Es cierto— preguntó tan pronto ellos se hubieron levantado de rendirle homenaje —que el *homos* es más suave que la cera?

—Lo es, Su Luminiscencia —respondieron.

—¿Y es también cierto que la abertura que tiene en la parte inferior de su cara puede producir un gran número de sonidos?

—Sí, Su Real Alteza, y, además, en esta misma abertura el *homos* mete diversos objetos, después mueve la porción baja de la cabeza —que está sujeta con unas bisagras a la parte superior—, con lo cual despedaza los objetos y los arrastra a su interior.

—Peculiar costumbre, de la cual ya he escuchado antes —dijo el rey—. Pero, díganme, mis sabios, ¿con qué propósito lo hace?

—Existen cuatro teorías sobre ese tema en particular, Su Real Alteza —replicaron los homologistas—. La primera es que lo hace para librarse del exceso de veneno, pues es extremadamente ponzoñoso. La segunda es que realiza este acto con un afán de destrucción, al cual pone por encima de todos los demás placeres. La tercera, por codicia, pues consumiría todo si pudiera, y la cuarta, por...

—¡Bien, bien! —dijo el rey—. ¿Es cierto que la cosa está hecha de agua, y sin embargo no es transparente, como mi títere?

—¡También eso es cierto! Tiene dentro de sí, Su Majestad, una gran cantidad de delgados tubos, por los cuales circula el agua; algunos son amarillos, otros son gris perla, pero la mayoría son rojos... los rojos llevan un veneno espantoso, llamado flogisto u oxígeno, cuyo gas convierte todo lo que toca en óxido o en fuego. Así, el *homos* mismo cambia de color: perlado, amarillo y rosa. No obstante, Su Alteza Real, le rogamos humildemente que abandone su idea de traer aquí a un *homos* vivo, pues es una criatura poderosa y malévola como no hay otra...

—Deben explicarme esto más ampliamente —dijo el rey— como si estuviera a punto de acceder a los deseos de los sabios. Sin embargo, en realidad sólo deseaba satisfacer su enorme curiosidad.

—Los seres a los que pertenece el *homos* se llaman miasmáticos, Majestad. A éstos pertenecen los silíceos y los proteidos; los primeros son de consistencia más espesa, por lo que podemos llamarlos gelatinoides o jaleidos. Los otros, que son más raros, tienen distintos nombres según diferentes autores; por ejemplo: gomíferos o mucilaginosos, según Pollomender; pastas de lomo pantanoso, o cabezas de ciénega, según Tricéfalos de Arboran; y, finalmente, Analcymander el Broncíneo los bautizó como mechones de ojos cenagosos...

—Entonces, ¿es cierto que incluso sus ojos están llenos de espumarajos? —preguntó ansiosamente el rey Boludar.

—Es cierto, Alteza. Estas criaturas, en apariencia tan débiles y frágiles que sólo se necesita una caída de veinte metros para convertirlos en un líquido rojo, por su astucia natural representan un peligro mayor que todos los torbellinos y arrecifes del Gran Asteroide del Dogal juntos. Así que le rogamos, Majestad, por el bien del reino...

—Sí, sí, está bien —interrumpió el rey—. Ya se pueden ir, estimados amigos; nosotros tomaremos la decisión con la adecuada deliberación.

Los sabios homologistas hicieron una profunda reverencia y partieron con la mente intranquila, temiendo que el rey Boludar no hubiese abandonado su peligroso plan.

Con el tiempo, un buque estelar llegó en la noche y trajo enormes embalajes, que fueron de inmediato conducidos al jardín real. Poco después, las puertas de oro fueron abiertas a todos los súbditos reales; allí, entre las arboledas de diamantes, los balcones de jaspe tallado y los prodigios de mármol, vieron una jaula de hierro, y en ella una cosa pálida y fláccida, sentada sobre un barrilito ante un plato lleno de una sustancia extraña. Es cierto que la sustancia olía a aceite, pero a aceite quemado sobre una llama y por lo tanto arruinado y totalmente inservible. No obstante, la criatura hundía calmosamente una especie de pala en el plato y, levantando la aceitosa materia, la depositaba en su abertura facial.

Los espectadores se quedaron sin habla por el horror cuando leyeron el letrero de la jaula, el cual decía que tenían ante ellos a un *homos antropos*, un carapálida vivo. La plebe comenzó a provocarlo, pero entonces el *homos* se levantó, recogió algo del barril en el que estaba sentado, y roció a la boquiabierta multitud con un agua letal. Algunos huyeron y otros cogieron piedras para golpear a la abominación, pero los guardias los dispersaron de inmediato.

Los eventos llegaron a oídos de la hija del rey, Electrina. Parecería que había heredado la curiosidad de su padre, pues no le dio miedo acercarse a la jaula en la que el monstruo pasaba su tiempo rascándose o absorbiendo agua con aceite rancio suficiente para matar a cien súbditos reales en el acto.

El *homos* rápidamente aprendió el lenguaje inteligente, y era lo bastante intrépido como para trabar conversación con Electrina.

Una vez, la princesa le preguntó qué era esa sustancia blanca que brillaba en sus fauces.

—A éstos les llamo dientes —dijo.

—¡Ay! ¡Regálame uno! —pidió la princesa.

—¿Y qué me darás tú a cambio? —preguntó él.

—Te daré mi llavecita de oro, pero sólo por un momento.

—¿Y qué tipo de llave es ésa?

—Es mi llave personal; la uso cada noche para dar cuerda a mi mente. Seguramente tú también tienes una.

—Mi llave es diferente a la tuya —respondió evasivamente—. ¿Y dónde la guardas?

—Aquí, en el pecho, debajo de esta tapa dorada.

—Dámela...

—¿Y tú me darás un diente?

—Claro...

La princesa giró un tornillito dorado, abrió la tapa, sacó una pequeña llave de oro y la pasó por entre los barrotes. El carapálida la tomó ávidamente, cloqueando de júbilo, y se apartó al centro de la jaula. La princesita le imploró y rogó que le devolviera la llave, pero fue inútil. Asustada de que alguien se diera cuenta de lo que había hecho, Electrina regresó a sus habitaciones de palacio con el corazón oprimido. Quizás actuó tontamente, pero sólo era una niña. Al día siguiente sus sirvientes la encontraron sin sentido en su cama de cristal. El rey y la reina llegaron corriendo, con toda la corte detrás de ellos. Yacía como dormida, pero era imposible despertarla. El rey hizo traer a los médicos electricistas de la corte, sus doctores, técnicos y mecanicistas, y éstos, al examinar a la princesa, descubrieron que su tapa estaba abierta. ¡No había tornillito ni llavecita! Se dio la alarma en palacio, reinó el pandemonium, todos corrían de aquí para allá buscando la llavecita, pero sin resultado. A la mañana siguiente, el rey, sumido en la desesperación, fue informado de que su carapálida deseaba hablar con él sobre el asunto de la llave extraviada. El rey mismo fue al parque sin demora, y el monstruo le dijo que él sabía dónde había perdido su llave la princesa, pero que sólo lo revelaría cuando el rey le hubiera dado su palabra de que le devolvería su libertad, y, más aún, que le proporcionaría un bajel espacial para que pudiera volver con los de su especie. El rey se rehusó obstinadamente; ordenó que buscaran en el parque de extremo a extremo, pero al final accedió a estos términos. Así, se alistó una nave espacial y los guardias escoltaron al carapálida desde su jaula. El rey esperaba a un lado de la nave. No obstante, el *antropos* prometió decirle dónde estaba la llave tan pronto estuviera a bordo de la nave, y no antes.

Pero una vez a bordo, sacó su cabeza por un respiradero, y, enarbolando la brillante llave, gritó:

—¡Aquí está tu llave! ¡Me la llevo conmigo, rey, para que tu hija nunca se despierte, porque tengo sed de venganza, pues tú me humillaste al tenerme en una jaula de hierro para que fuera el hazmerreír de todos!

El fuego salió disparado de debajo de la popa de la nave espacial, y el bajel se elevó hacia el cielo ante los enmudecidos espectadores. El rey envió a sus rasganubes y cohetes-huracán en su persecución, pero todas sus tripulaciones volvieron con las manos vacías, pues el artero carapálida había cubierto sus huellas y se les había escurrido.

El rey Boludar comprendió ahora cuán equivocado estuvo al no hacer caso de los sabios homologistas, pero el daño ya estaba hecho. Los principales cerrajeros eléctricos trabajaron para moldear un duplicado de la llave; el Gran Ensamblador del Trono, los artesanos reales, los armadores y los artefactótums, los más altos artífices del acero y los maestros forjadores de oro, cibercondes y dinamargraves: todos vinieron a probar sus habilidades, pero en vano. El rey se dio cuenta que debía recuperar la llave robada por el carapálida; de otra manera, la oscuridad reinaría para siempre en la razón y los sentidos de la princesa.

El rey proclamó entonces por todo el reino que esto y aquello y lo de más allá había ocurrido, que el antrópico *homos* carapálida se había fugado con la llave de oro, y que quienquiera que lo capturase, e incluso si sólo devolvía la joya dadora de vida y despertaba a la princesa, tendría su mano y ascendería al trono.

De inmediato aparecieron por manadas aventureros de varios estilos y tallas. Entre éstos había electrocaballeros de gran renombre, charlatanes, estafadores, astroladrones y vagabundos estelares. Vino al castillo Demétrico Megawatt, el celebrado esgrimista-oscilador, quien poseía tal retroalimentación y retrovelocidad que nadie podía derrotarlo en el combate cuerpo a cuerpo. De tierras distantes llegaron autopartículas, como los dos autómatas, victoriosos vectores de mil batallas; o como Prosteseo, construccionista *par excellence*, quien nunca iba a ningún lado sin dos aspiradores de chispas, uno negro y el otro plateado. Y estaba también Arbitrón Cosmoski, totalmente construido de protocristales y esbelto como una espiral, y Cyfer de Agrym, el intelectricista, quien en cuarenta andromedarios en ochenta cajas trajo con él una vieja computadora digital, oxidada de tanto pensar pero aún poderosa de mente. Llegaron tres campeones de la raza de los Selectivitas: Diodio, Triodio y Heptodio, quienes tenían un vacío perfecto en sus cabezas; sus negros pensamientos eran como la noche sin estrellas. Vino también Perpetuan, todo en armadura de Leyden, con su conmutador cubierto de moho de trescientos encuentros, y Matrix Perforatem, que nunca dejaba pasar un día sin integrar a alguien. Éste trajo a palacio su cibercorcel invisible, un supercaballo de batalla al cual llamaba Megaso. Se congregaron todos, y cuando la corte estaba en pleno, rodó un barril hasta el umbral, y de él se derramó, en forma de mercurio, Ergio el autoinductivo, quien podía asumir el aspecto que deseara.

Los héroes fueron invitados a un banquete; se iluminaron los salones del castillo, y el mármol de los techos tomó un brillo rosado como una nube al atardecer. Luego partieron, cada uno por su lado, para buscar al carapálida, retarlo a un combate mortal, recuperar la llave, y así ganar a la princesa y el trono de Boludar. El primero, Demétrico Megawatt, voló a Koldlea, donde viven los gelacuajos, pues pensaba que encontraría algo allí. Así, se sumergió en su pantano, adueñándose del camino con golpes de su sable a control remoto, pero no logró nada, pues cuando se calentó demasiado su sistema de enfriamiento se apagó y el incomparable guerrero encontró la muerte en tierra extranjera, y la sucia ciénega y los gelacuajos cubrieron sus audaces cátodos para siempre.

Los dos autómatas vectorianos tocaron la tierra de los radomantes, quienes erigen edificios de gas luminiscente que rezuman radioactividad, y son tan tacaños que cada noche cuentan los átomos de su planeta. Funesta fue la recepción que los mezquinos radomantes dieron a los autómatas, pues les mostraron un abismo lleno de piedras de ónix, crisolitas, calcedonias y espinelas, y cuando los electrocaballeros sucumbieron a la tentación de las joyas, los radomantes los lapidaron hasta matarlos, lanzando desde las alturas una avalancha de piedras preciosas, que al moverse centelleaba como un cometa de mil colores. Y es que los radomantes eran aliados de los carapálidas, por un pacto secreto del cual nadie sabía.

El tercero, Prosteseo el construccionista, llegó a la tierra de los alganáceos después de un largo viaje por la oscuridad interestelar. La goleta de Prosteseo se estrelló contra su inexorable pared y, con un timón roto, fue a la deriva por el piélago, y cuando finalmente se acercó a algunos distantes soles, su luz atravesó los ojos ciegos del pobre aventurero. El cuarto, Arbitrón Cosmoski, tuvo mejor suerte al principio. Logró cruzar los Estrechos de Andrómeda, surcar los cuatro remolinos espirales de los Perros Cazadores, y, como un ágil rayo, tomó el casco y, dejando una estela de fuego arrollador, llegó a las orillas del planeta Maestricia, donde entre trozos de meteoritos, espió los destrozados restos de la goleta en que se había embarcado Prosteseo. Enterró el cuerpo del construccionista, poderoso, brillante y frío como en vida, detrás de una pila de basalto, pero tomó sus dos aspiradores de chispas, el plateado y el negro, para que le sirvieran de escudos, y prosiguió su camino. Maestricia era salvaje y escabroso; rugían por él avalanchas de rocas sobre los precipicios, en una maraña de relámpagos plateados en las nubes. El caballero llegó a una región de cañadas, y allí los palindromidas cayeron sobre él en un cañón de malaquita, todo verde. Le arrojaron rayos desde arriba, pero pudo defenderse de ellos con su escudo aspirador de chispas, hasta que movieron un volcán, ladearon el cráter, apuntaron y vomitaron fuego sobre él. El caballero cayó y la burbujeante lava entró en su cráneo, del cual escapó toda la plata. El quinto, Cyfer de Agrym, el intelectricista, no fue a ningún lado. En cambio, deteniéndose justo en el límite de las fronteras del reino de Boludar, liberó a sus andromedarios para que pacieran en las pasturas estelares, y conectó la máquina, la ajustó, programó, trabajó con esfuerzo en sus ochenta cajas, y cuando todas rebosaban corriente y la máquina estaba hinchada de inteligencia, comenzó a formularle preguntas muy precisas: ¿dónde vive el carapálida?, ¿cómo se puede encontrar el camino?, ¿cómo se le puede engañar?, ¿y atrapar?, ¿cómo se le puede forzar a entregar la llave? Las respuestas, cuando al fin llegaron, eran vagas y evasivas. Enfurecido, golpeó la máquina hasta que ésta comenzó a oler a cobre caliente, y continuó gritando:

—¡Quiero la verdad ahora, dímela, maldita computadora digital caduca!—, hasta que finalmente todas sus junturas se fundieron, el estaño se escurrió de ellas en plateadas lágrimas, los tubos sobrecalentados se resquebrajaron con una detonación, y él quedó sobre una pila de chatarra derretida, encolerizado y con un garrote en la mano.

Avergonzado, tuvo que regresar a casa. Ordenó una máquina nueva, pero no la vio sino hasta cuatrocientos años después.

En sexto lugar fue la salida de los selectivitas. Diodio, Triodio y Heptodio se enfrentaron de forma distinta al asunto. Tenían una reserva inagotable de tritio, litio y deuterio, y decidieron que abrirían a la fuerza, con explosiones de hidrógeno pesado, todos los caminos que condujeran a la tierra de los carapálidas. Sin embargo, no se sabía dónde comenzaban esos caminos. Quisieron preguntar a los pirópodos, pero éstos se encerraron detrás de las murallas de oro de su capital y arrojaron llamas; los valientes-valentes selectivitas tomaron por asalto el bastión, usando deuterio y tritio sin límite, hasta que un infierno de átomos desnudos retó descaradamente al estrellado cielo. Las paredes de la ciudadela brillaban doradas, pero en el fuego se revelaba su verdadera naturaleza, pues se convertían en amarillas nubes de humo sulfúrico, ya que habían sido construidas de pirita-marcasita. Allí cayó Diodio, pisoteado por los pirópodos, y su mente explotó como un ramillete de cristales de colores, rociando su armadura. Lo enterraron en una tumba de olivino negro, y luego se enfilaron hacia las fronteras del reino de Char, donde gobernaba el rey Astrocida, asesino de estrellas. El rey tenía una casa del tesoro repleta de núcleos ardientes arrancados de enanas blancas, y que eran tan pesados que sólo la terrible fuerza de los magnetos del palacio les impedía incrustarse en el centro del planeta. Quien se parara sobre su tierra no podía mover brazos ni piernas, pues la prodigiosa gravitación sujetaba más fuertemente que cerrojos o cadenas. Triodio y Heptodio estuvieron muy apurados aquí, pues Astrocida, al descubrirlos detrás de las murallas del castillo, deslizó hacia afuera a una enana blanca tras otra y les arrojó bolas de fuego a la cara. Sin embargo lo derrotaron, y él les reveló el camino que llevaba a los carapálidas; pero los engañó, pues no conocía el camino y solamente deseaba librarse de los temibles guerreros. Así, se sumergieron en el oscuro corazón del vacío, donde alguien con un beso errante antimateria le dio un tiro a Triodio; pudo haber sido uno de los cazadores cibernianos, o posiblemente una mina colocada para un cometa. De cualquier modo, Triodio desapareció, casi sin tener tiempo para gritar ¡tumba!, su palabra favorita y el grito de batalla de su raza. Heptodio avanzó obstinadamente, pero también había en reserva un amargo fin para él. Su bajel se encontró entre dos vórtices de gravitación llamados Bakhrida y Scintilla. Bakhrida acelera el tiempo, y Scintilla, por otro lado, lo frena, y entre ellos hay una zona de paralización, donde el presente, inmóvil, no fluye hacia adelante ni hacia atrás. Allí Heptodio se congeló vivo, y allí permanece hasta este día, junto con las incontables fragatas y galeones de otros astromarinos, piratas y otros artefactos espaciales, sin envejecer en lo más mínimo, suspendidos en el silencio y el dolorosísimo aburrimiento que es la Eternidad.

Cuando así concluyó la campaña de los tres selectivitas, Perpetuan, ciberconde de Fud, quien era el séptimo y siguiente en partir, no echó a andar por mucho tiempo. En cambio, el electrocaballero hizo prolongados preparativos para la guerra, equipándose con conductores cada vez más agudos, con más y más proyectiles de chispas, morteros y tractores. Lleno de precaución, decidió que iría a la cabeza de una leal comitiva. Bajo su estandarte se congregaron conquistadores y muchos rechazados, robots que, no teniendo nada más que hacer, deseaban probar suerte en la soldadesca. Con ellos Perpetuan formó una pesada caballería y una infantería de luz galáctica, con yelmos y blindajes, además de varios batallones de polidragones y paladines. Sin embargo, al pensar que ahora debía partir y encontrar su destino en alguna tierra desconocida, y que en cualquier charco se podía oxidar completamente, las espinilleras de hierro se doblaron bajo él, lo embargó un terrible arrepentimiento, e inmediatamente se dirigió a casa, avergonzado y abatido, derramando lágrimas de topacio, pues era un poderoso señor, con un alma llena de joyas.

El penúltimo, Matrix Perforatem, abordó el problema con mucha cabeza. Había oído de la tierra de los pigmeliantes, gnomos robóticos cuya raza se originó de ésta, que el lápiz de su constructor se había resbalado del restirador, y entonces salieron todos ellos, hasta el último, del molde maestro, como deformidades jorobadas. La alteración no resultó provechosa y así se quedaron. Estos enanos acumulan conocimiento como otros almacenan tesoros, y por esta razón se les llama Tesoreros de lo Absoluto.

Su sabiduría yace en el hecho de que coleccionan conocimiento pero nunca lo usan. A ellos fue Perforatem, pero no de forma militar, sino en galeones cuyas cubiertas estaban repletas de magníficos regalos; quería ganarse a los pigmeliantes con trajes brillantes de positrones y cubiertos por una lluvia de neutrones; les trajo átomos de oro tan grandes como siete puños, y frascos turbulentos de las más raras ionosferas. Pero los pigmeliantes desdeñaron incluso el noble vacío bordado con olas de exquisitos espectros astrales. En vano se enfureció y amenazó con lanzarles a su bufador electrocorcel Megaso. Finalmente le ofrecieron un guía, pero éste era un miriafalangiano de mil manos, y siempre apuntaba en todas las direcciones a la vez.

Perforatem lo mandó empacar y espoleó a Megaso para que siguiera el rastro de los carapálidas, pero el rastro resultó ser falso, pues un cometa de hidróxido de calcio iba a pasar por ese camino, y el tonto corcel lo confundió con fosfato de calcio, que es el ingrediente básico del esqueleto de los carapálidas. Megaso tomó limo por cal. Perforatem vagó mucho tiempo entre soles cada vez más macilentos, pues había entrado en una sección muy antigua del Cosmos.

Viajó a través de una fila de gigantes moradas, hasta que notó que su barco y el silencioso desfile de estrellas se reflejaban en un espejo espiral, un espéculo de plateada superficie; se llevó una sorpresa y, por si acaso, desenvainó su extinguidor supernova, que les había comprado a los pigmeliantes para protegerse del calor excesivo de la Vía Láctea. No sabía qué era lo que estaba viendo; de hecho, era un nudo en el espacio, el más próximo factorial del continuo, desconocido incluso para los monoasteristas de aquel lugar. Lo único que dicen es que quien lo encuentra nunca retorna. Hasta este día, nadie sabe qué le ocurrió a Matrix en ese molino estelar. Su fiel Megaso regresó solo a casa, lloriqueando suavemente en el vacío, y sus ojos de zafiro eran albercas de tal horror, que nadie podía mirarlos sin sentir un escalofrío. Y ningún bajel, ni los extinguidores, ni Matrix, fueron vistos de nuevo.

Y así, el último, Ergio el autoinductivo, partió solo. Estuvo lejos un año y tres quincenas. Cuando volvió, contó de tierras desconocidas para todos, como la de los perisconos, quienes construyen canales calientes de corrupción; del planeta de los seres de ojos de epoxia, quienes se convirtieron frente a él en hileras de olas, pues eso hacen en tiempos de guerra, pero los partió en dos de un tajo. Descubrió la piedra caliza que formaba sus huesos, y cuando venció sus cascadas asesinas se encontró cara a cara con uno que ocupaba la mitad del cielo, y cayó sobre él, para exigirle el camino, pero bajo el filo de su espada de fuego su piel se abrió y expuso su blancura, retorciendo sus bosques de nervios. Y habló del transparente y helado planeta Aberrabia, que, como una lente de diamante, contiene la imagen del Universo entero dentro de él; allí copió los caminos a la tierra de los carapálidas. Contó de una región de silencio eterno, Alumnium Cryotrica, donde sólo vio los reflejos de las estrellas en las superficies de los glaciares colgantes; y del reino de los marmoloides derretidos, quienes modelan chucherías hirvientes de lava, y de los electroneumáticos, quienes en nubes de metano, ozono, cloro y el vapor de los volcanes, pueden encender la chispa de la inteligencia, y que continuamente luchan con el problema de cómo colocar en un gas la cualidad del genio. Les dijo que para llegar al reino de los carapálidas había tenido que forzar la puerta de un sol llamado Caput Medusae; cómo después de arrancar esta puerta de sus bisagras cromáticas, por el interior de la estrella corrió una larga sucesión de llamas moradas y azul claro, hasta que su armadura se encrespó debido al calor. Cómo por treinta días intentó adivinar la palabra que activaría la compuerta de Astroporcyonum, pues sólo a través de ella se puede entrar al frío infierno de los seres miasmáticos; cómo finalmente se encontró entre ellos, que trataron de acorralarlo en sus trampas pegajosas y lipídicas, de trastornarle el mercurio de la cabeza o cortocircuitarlo; cómo lo engañaron, señalándole estrellas desfiguradas, pero ése era un cielo falso, pues habían escondido el verdadero en su furtivo camino; cómo con torturas quisieron arrancarle su algoritmo y entonces, cuando ya lo había soportado todo, lo arrojaron a un pozo y tiraron una losa de magnetita sobre la abertura. Sin embargo, adentro, él inmediatamente se multiplicó en cientos de miles de Ergios los autoinductivos, empujó la tapa de acero, emergió a la superficie y descargó su castigo sobre los carapálidas por un mes completo y cinco días. Cómo entonces los monstruos, en un último intento, atacaron en rastreadores que ellos llaman tractores de orugas, pero eso no les sirvió de nada, pues sin cejar jamás en su ardor por la batalla, sino mutilando, apuñalando y acuchillando, los llevó a tal extremo que le arrojaron a los pies al miserable carapálida ladrón de llaves, después de lo cual Ergio le cercenó la odiosa cabeza, destripó el cadáver, y en él encontró una piedra, conocida como tricobezoar, y allí en la piedra estaba grabada una inscripción en la escrofulosa lengua carapálida, que revelaba dónde se encontraba la llave. El autoinductivo abrió sesenta y siete soles —blanco, azul y rojo rubí— antes de rasgar el correcto y encontrar la llave.

No quiso ni pensar en las aventuras que encontró, las batallas que se vio forzado a librar en el camino de regreso —tan grande era ahora su anhelo por la princesa, y grande también su impaciencia por la boda y la coronación—. Con regocijo, el rey y la reina lo llevaron a la cámara de su hija, quien estaba silenciosa como una tumba, sumida en el sueño. Ergio se inclinó sobre ella, jugueteó un poco alrededor de la tapa, insertó algo, giró, e instantáneamente la princesa —para deleite de su madre y el rey y la corte entera— abrió los ojos y le sonrió a su salvador. Ergio cerró la tapita, la selló con un poco de yeso para mantenerla clausurada, y explicó que también había encontrado el tornillito, pero que se le había caído durante una pelea con Poleander Partabon, emperador de todo Jatapurgovia. Pero nadie puso atención a esto, y fue una pena, pues el rey y la reina se hubieran dado cuenta bien pronto que él jamás partió en realidad, pues ya desde niño Ergio el autoinductivo poseía la habilidad de abrir cualquier cerradura y gracias a esto pudo aliviar a la princesa Electrina. Entonces, en verdad no se había encontrado con ninguna de las aventuras que describió, sino que simplemente esperó un año y tres quincenas para que su pronto regreso con el objeto perdido no pareciera sospechoso, a la vez que se quería asegurar de que ninguno de sus rivales volvería. Sólo entonces apareció en la corte del rey Boludar y devolvió a la vida a la princesa, y se casó con ella, y reinó larga y felizmente en el, y su subterfugio nunca fue descubierto. De lo cual puede uno ver de inmediato que hemos dicho la verdad y no un cuento de hadas, pues en los cuentos de hadas siempre triunfa la virtud.

# Lo recordaremos por usted perfectamente

Philip K. Dick

Despertó... y deseó Marte. Los valles, pensó. ¿Cómo sería pasear por ellos? El sueño creció más y más a medida que recuperaba la conciencia: el sueño y el anhelo. Casi podía sentir la envolvente presencia del otro mundo, que sólo habían visto los agentes del gobierno y los altos funcionarios. ¿Un empleado como él? Poco probable.

—¿Te vas a levantar o no? —preguntó somnolienta su esposa Kirsten, con su tono habitual de fiero mal humor—. Si ya estás levantado, oprime el botón del café caliente del maldito horno.

—Está bien —respondió Douglas Quail, y caminó descalzo de la recámara a la cocina de su departamento. Allí, después de presionar obedientemente el botón del café caliente, se sentó a la mesa de la cocina y extrajo una pequeña lata amarilla del fino rapé Dean Swift. Inhaló vivamente, y la mezcla Beau Nash le picó la nariz y quemó la bóveda de su paladar; pero aun así aspiró. El rapé lo despertó y permitió que sus sueños, sus anhelos nocturnos y sus azarosos deseos se condensaran en un remedo de racionalidad.

"Iré" —se dijo—. "Veré Marte antes de morir."

Por supuesto, era imposible. Y él lo sabía incluso mientras soñaba. Pero la luz del día, el mundano ruido de su esposa cepillándose el cabello frente al espejo del baño... todo conspiraba para recordarle lo que era. "Un miserable y pequeño asalariado", se dijo con amargura. Kirsten se lo refrescaba por lo menos una vez al día, y no la culpaba: el trabajo de una esposa era ponerle los pies en la tierra a su marido. "Los pies en la Tierra", pensó, y se rió. La figura retórica era literalmente ideal.

—¿A qué viene esa risita? —preguntó su esposa mientras se dirigía a la cocina, con su larga bata rosa sacudiéndose tras ella—. Te apuesto que fue un sueño. Siempre estás soñando.

—Sí —dijo él, y miró por la ventana de la cocina los autos flotantes y los andadores móviles, y todos los hombrecitos apresurándose al trabajo. Dentro de poco estaría entre ellos. Como siempre.

—Apuesto que tiene que ver con alguna mujer —dijo Kirsten secamente.

—No —respondió—, con un dios. El dios de la guerra. Tiene cráteres maravillosos, en cuyas profundidades crecen muchos tipos de vida vegetal.

—Escucha —Kirsten se inclinó a su lado y habló seriamente; el tono áspero se ausentó de su voz por un momento—. El fondo del océano... de *nuestro* océano es mucho más, una infinidad de veces más hermoso. Tú lo sabes; todo el mundo lo sabe. Renta un par de equipos de branquias artificiales para nosotros, tómate una semana libre del trabajo, podemos descender y vacacionar en uno

de esos complejos hoteleros acuáticos que abren
todo el año. Además... —Se interrumpió—. No me
estás escuchando. Deberías hacerlo. Aquí hay algo
mucho mejor que esa compulsión, esa obsesión
que tienes con Marte. ¡Y ni siquiera me escuchas!
—su voz se volvió aguda—. ¡Por Dios, estás condenado, Doug! ¿En qué te has convertido?

—Me voy al trabajo —dijo, y al levantarse,
olvidó su desayuno—. En eso me he convertido.

Ella lo miró.

—Cada vez estás peor. Más fanático día con
día. ¿A dónde te va a llevar esto?

—A Marte —dijo; abrió la puerta del clóset
y sacó una camisa limpia para el trabajo.

Después de bajar del taxi, Douglas Quail caminó lentamente por tres andadores peatonales densamente
transitados hacia la moderna, atractiva y sugerente
entrada. Allí se detuvo, obstruyendo el tráfico del
mediodía, y con cautela leyó el letrero de neón de
colores que cambiaban sucesivamente. Esto era muy
distinto; lo que estaba haciendo ahora era extraordi-
nario. Algo que tarde o temprano debía ocurrir.

RECUERDA, S. A.

¿Era ésta la respuesta? Después de todo, una
ilusión, no importa cuán convincente fuera, seguía
siendo una ilusión. Por lo menos vista objetiva-
mente. Pero subjetivamente... era todo lo opuesto.

Y de cualquier manera tenía una cita. Dentro de cinco minutos.

Respiró a pleno pulmón el aire suavemente
infestado de esmog de Chicago. Caminó por el
deslumbrante resplandor policromático de la entrada hacia el mostrador de la recepcionista.

La rubia del mostrador, bellamente articulada, bien arreglada y con el pecho descubierto, dijo amablemente:

—Buenos días, señor Quail.

—Sí —dijo él—. Estoy aquí para investigar sobre un curso de Recordar. Me imagino que usted ya lo sabe.

—No es recordar, sino *recuerda* —lo corrigió la recepcionista. Levantó el interruptor del videófono a su hermoso costado y dijo:

—El señor Douglas Quail está aquí, señor McClane. ¿Ya puede pasar o es demasiado pronto?

—Bzz, zzz, tuzz, abzaz... —farfulló el aparato.

—Sí, señor Quail —dijo— puede pasar; el señor McClane lo está esperando.

Cuando él avanzó dudoso, ella le dijo:

—El cuarto "D", señor Quail. A su derecha.

Después de un breve pero frustrante momento de sentirse perdido, encontró el cuarto correcto. La puerta se abrió y, en su interior, frente a un gran escritorio de nogal, estaba sentado un hombre de apariencia cordial, de edad madura, que usaba un traje de moda de piel de rana marciana. Su solo atuendo le indicaba a Quail que había venido con la persona correcta.

—Siéntese, Douglas —dijo McClane, indicando con su regordeta mano una silla que estaba de cara al escritorio—. Así que usted quiere *haber ido* a Marte. Muy bien.

Tenso, Quail se sentó.

—No estoy seguro de que valga la pena el precio —dijo—. Cuesta mucho, y hasta donde yo veo, en realidad no obtengo nada. "Cuesta casi tanto como ir" —pensó.

—Obtiene pruebas tangibles de su viaje —contradijo enfáticamente McClane—. Todas las pruebas que necesite. Mire, le mostraré.

Revolvió en un cajón de su impresionante escritorio:

—Un talón de viaje—. De un fólder de papel manila extrajo un pequeño cuadrado de cartoncillo impreso.

—Prueba de que usted fue y regresó: postales—, desplegó, en una hilera muy bien arreglada, cuatro postales franqueadas, a todo color y en tercera dimensión.

—Película. Fotos que usted tomó de vistas de Marte con una cámara móvil rentada—, también las desplegó para Quail.

—Y los nombres de la gente que conoció, recuerdos típicos que llegarán de Marte en un mes. Y un pasaporte, los certificados de las vacunas que recibió. Y más.

Observó intensamente a Quail.

—Sabrá con seguridad que fue —dijo—. No nos recordará: no me recordará a mí, ni que estuvo aquí. Será un viaje real en su mente, se lo garantizamos. Dos semanas de experiencias; hasta el detalle más insignificante. Recuerde esto: si en algún momento usted duda de que hizo un largo viaje a Marte, puede volver aquí y le reembolsaremos su dinero. ¿Ya ve?

—Pero no fui —dijo Quail—. Y nunca habré ido. No importan las pruebas que usted me dé—. Respiró profunda e irregularmente. —Y nunca habré sido agente secreto de Interplan—. Le parecía imposible que el implante de memoria de Recuerda, S. A. realmente funcionara... a pesar de los comentarios que había oído.

—Sí, señor Quail —dijo McClane pacientemente—. Como nos explicó en su carta, usted no tiene la oportunidad, la menor posibilidad de ir a Marte algún día. No lo puede pagar y, mucho más importante, usted nunca calificaría para ser agente secreto de Interplan ni de nadie más. Ésta es la única forma en que usted puede alcanzar su... mmm... su sueño de toda una vida. ¿No estoy en lo cierto, señor? Usted no puede ser esto; no puede de hecho hacer esto. —Ahogó la risa—. Pero puede *haber sido* y *haber hecho*. Nosotros nos ocupamos de eso. Y nuestra tarifa es razonable; no hay cargos ocultos. —Sonrió alentadoramente.

—¿Es tan convincente una memoria extraobjetiva? —preguntó Quail.

—Más que el hecho real, señor. Si usted en realidad hubiera ido a Marte como agente de Interplan, para este momento ya hubiese olvidado una buena parte de lo que ocurrió. Nuestro análisis de los sistemas de memoria verdadera —los recuerdos más importantes de los eventos más importantes de la vida de una persona— muestra que la persona pierde rápidamente un gran número de detalles. Para siempre. Parte del paquete que le ofrecemos es un implante tan profundo en la memoria que nada se olvida. El paquete que se le inserta mientras usted está en coma es la creación de grandes expertos, de hombres que han pasado años en Marte; en todos los casos verificamos los detalles minuciosamente. Y usted eligió un sistema extraobjetivo bastante fácil. Si hubiese escogido Plutón o hubiera querido ser emperador de la Alianza del Planeta Interior hubiéramos tenido más dificultades... y el costo sería considerablemente mayor.

Mientras buscaba la cartera en su abrigo, Quail dijo:

—Está bien. Ha sido mi ambición de toda la vida, y veo que nunca la obtendré. Así que creo que debo decidirme por esto.

—No lo piense de ese modo —dijo McClane severamente—. No está usted aceptando un plato de segunda mesa. La memoria real, con toda su vaguedad, sus omisiones y elipsis, por no decir distorsiones..., eso sí es un plato de segunda mesa. —Aceptó el dinero y oprimió un botón de su escritorio.

—Está bien, señor Quail —dijo; se abrió la puerta de su oficina y dos corpulentos hombres entraron rápidamente—. Está usted en camino a Marte como agente secreto.

Se levantó y estrechó la mano húmeda y nerviosa de Quail.

—O, más bien, *ha estado* en camino. Esta tarde, a las cuatro treinta, usted... mmm... regresará aquí a la Tierra. Un taxi lo dejará en su departamento, y, como ya le dije, nunca recordará haberme visto ni haber estado aquí; de hecho, ni siquiera recordará que supo de nuestra existencia.

Con la boca seca por el nerviosismo, Quail siguió a los dos técnicos. Lo que ocurriría después dependía de ellos.

"¿Realmente creeré que estuve en Marte?" —se preguntó—. "¿Que logré alcanzar mi ambición de toda la vida?" Intuía de forma extraña y persistente que algo iría mal. Pero no sabía exactamente qué.

Tendría que esperar y descubrirlo.

El intercomunicador del escritorio de McClane, que lo mantenía conectado con el área de trabajo de la compañía, zumbó, y una voz dijo:

—El señor Quail está bajo los efectos de los sedantes, señor. ¿Quiere supervisarlo o continuamos?

—Es de rutina —observó McClane—. Continúen, Lowe. No creo que tengan ningún problema—. Programar una memoria artificial de un viaje a otro planeta, con o sin el estímulo adicional de ser agente secreto, formaba parte de la agenda de la empresa con monótona regularidad. "En un mes, calculó irónicamente, debemos hacer veinte de estos... los viajes interplanetarios artificiales se han convertido en nuestro pan de cada día."

Al ir a la bóveda situada detrás de su oficina, McClane buscó un paquete tres: viaje a Marte, y un paquete sesenta y dos: espía secreto de Interplan. Encontró los dos paquetes, volvió con ellos a su escritorio, se sentó cómodamente, sacó el contenido: mercancía que sería depositada en el departamento de Quail mientras los técnicos del laboratorio trabajaban en la instalación de la memoria falsa.

"Un localizador de ideas —reflexionó McClane— es el objeto que nos reditúa más". Luego, un transmisor del tamaño de una píldora, que podía tragarse si capturaban al agente. Un manual de claves que se parecía asombrosamente al verdadero... los modelos de la empresa eran muy exactos: estaban basados, de ser posible, en los manuales militares de los Estados Unidos. Cosas sueltas que no tenían ningún sentido intrínseco, pero que podían enlazarse en la urdimbre y trama imaginaria del viaje de Quail: la mitad de una pieza antigua de cincuenta centavos de plata, varias citas de los sermones de John Donne escritas incorrectamente, cada una en una pieza de delgado papel transparente, cajitas de cerillos de bares de Marte, una cuchara de acero inoxidable grabada con "Propiedad del Kibutsim Nacional de Marte", un rollo de cable que...

El intercomunicador zumbó.

—Siento molestarlo señor McClane, pero algo un tanto ominoso ha surgido. Después de todo, quizá sería mejor que estuviera usted aquí. Quail ya está sedado; reaccionó bien a la narquidrina; está completamente inconsciente y receptivo. Pero...

—Voy para allá—. Presintiendo problemas, McClane dejó su oficina. Un momento después apareció en el área de trabajo.

Douglas Quail yacía en una cama higiénica; respiraba con lentitud y regularidad, sus ojos estaban virtualmente cerrados. Parecía estar consciente de la presencia de los dos técnicos, y ahora de McClane.

—¿No hay espacio para insertar patrones de memoria falsa? —McClane estaba irritado—. Simplemente borren dos semanas de trabajo. Es empleado de la Oficina de Emigración de la Costa Oeste, que es una agencia gubernamental, así que sin duda tuvo dos semanas de vacaciones el año pasado. Eso debe ser suficiente—. Los detalles insignificantes lo enojaban. Y siempre sería así.

—Nuestro problema —dijo agudamente Lowe— es algo un tanto diferente. Se inclinó sobre la cama y le dijo a Quail: —Dígale al señor McClane lo que nos dijo.

Los ojos gris verde del hombre que yacía boca arriba en la cama enfocaron el rostro de McClane. Los ojos, observó intranquilo, se habían vuelto duros; tenían un toque inorgánico, lustroso, como de piedra semipreciosa. No estaba seguro de que le gustara lo que veía: el brillo era demasiado frío.

—¿Qué quieren ahora? —dijo Quail secamente—. Ya descubrieron mi coartada. Salgan de aquí antes de que los despedace—. Estudió a McClane: usted en especial —continuó—. Usted está a cargo de esta contraoperación.

—¿Cuánto tiempo estuvo en Marte? —preguntó Lowe.

—Un mes —dijo Quail irritado.

—¿Y cuál era su misión ahí? —pidió Lowe.

Los enjutos labios se torcieron; Quail lo miró y no habló. Finalmente, arrastrando las palabras, de modo que se derramaron con hostilidad, dijo:

—Era agente de Interplan; ya se lo dije. ¿Acaso no graban todo lo que se dice? Ponga su cinta de audio-video para su jefe y déjeme en paz—. Cerró los ojos, y la dura brillantez se esfumó. De inmediato, McClane sintió un torrente de tranquilidad.

En voz baja, Lowe dijo:

—Es un hombre duro, señor McClane.

—No lo será —dijo Mc Clane—, después de que arreglemos que pierda su memoria. Será tan dócil como antes—. Se dirigió a Quail: —Así que es por *esto* que quería ir a Marte tan ansiosamente.

Sin abrir los ojos, Quail dijo:

—Nunca quise ir a Marte. Me asignaron... Me dieron la comisión y me quedé allí atorado. Sí, admito que me daba curiosidad, ¿a quién no?

Abrió de nuevo los ojos y escrutó a los tres hombres, en especial a McClane.

—Tiene usted un buen suero de la verdad. Me trajo a la mente cosas que yo ya no recordaba. Me pregunto si Kirsten estaría enterada de todo esto. Un contacto de Interplan vigilándome. No me extraña que se haya burlado tanto de mis ganas de ir a Marte—. Sonrió lánguidamente; la sonrisa, más bien analítica, desapareció casi de inmediato.

McClane dijo:

—Por favor créame, señor Quail. Nos tropezamos con esto por accidente. En el trabajo que hacemos...

—Le creo —dijo Quail—. Ahora parecía cansado; la droga seguía empujándolo más y más profundamente. —¿Dónde dije que había estado? —murmuró—. ¿En Marte? Es difícil de recordar... Sé que me gustaría haberlo visto; a todos les gustaría. Pero yo... —su voz se apagó— ...sólo un empleado, un pobre empleado.

Levantándose, Lowe dijo a su superior:

—Quiere que se le implante una memoria falsa de un viaje que de hecho realizó. Y una razón falsa que es la razón verdadera. Está diciendo la verdad; está ya muy sedado por la narquidrina. El viaje está muy vivo en su mente... por lo menos bajo el efecto de los sedantes. Probablemente, alguien de los laboratorios de ciencias militares del gobierno borró sus recuerdos conscientes. Lo único que sabía es que ir a Marte significaba algo especial para él, lo mismo que ser un agente secreto. No pudieron eliminar eso: no es un recuerdo, sino un deseo; sin duda el mismo que en un principio lo movió a proponerse como voluntario.

Keeler, el otro técnico, le dijo a McClane:

—¿Qué hacemos? ¿Injertar un patrón de memoria falsa sobre la memoria real? No tenemos idea de los posibles resultados; podría recordar una parte del viaje genuino, y la confusión podría provocar un interludio psicótico. Al mismo tiempo, tendría que soportar en su mente dos premisas opuestas: que fue a Marte y que no fue; que es un verdadero agente de Interplan y que no lo es, que es falso. Yo creo que debemos revivirlo sin implantarle ninguna memoria falsa y sacarlo de aquí. Esto está que arde.

—De acuerdo —dijo McClane—. Un pensamiento vino a su mente: ¿Pueden predecir qué recordará cuando se recupere de los sedantes?

—Improbable —dijo Lowe—. Tal vez guardará un recuerdo vago y difuso del viaje real. Y quizá tenga severas dudas sobre su validez; quizá decida que nos faltó programar una parte. Y recordará que estuvo aquí; eso no se borraría... a menos que usted lo quiera.

—Mientras menos nos metamos con este hombre, mejor —dijo McClane—. No debemos involucrarnos en esto. Ya fuimos lo bastante tontos, o desafortunados, para descubrir a un verdadero agente de Interplan que tiene una coartada tan perfecta que hasta ahora no sabía quién era, o es—. Mientras más pronto se lavaran las manos en el asunto del hombre que se hacía llamar Douglas Quail, mejor.

—¿Va a sembrar los paquetes tres y sesenta y dos en su departamento? —preguntó Lowe.

—No —dijo McClane—. Y vamos a devolverle la mitad de la tarifa.

—¡La mitad! ¿Por qué la mitad?

—Me parece que es un trato justo —dijo McClane débilmente.

Mientras el taxi lo conducía a su departamento de la zona residencial de Chicago, Douglas Quail se dijo: "Realmente es bueno estar de vuelta en la Tierra".

El mes en Marte ya había comenzado a oscilar en su memoria. Sólo tenía una imagen de profundos cráteres abismales, una antigua y siempre presente erosión de colinas, una vitalidad, un movimiento... un mundo de polvo donde ocurría muy poco, donde una buena parte del día se pasaba revisando una y otra vez la fuente personal de oxígeno. Y luego estaban las formas de vida, los pardos y modestos cactos y los gusanos tráqueos.

De hecho, se había traído varios ejemplares moribundos de fauna marciana, los había pasado de contrabando por la aduana. Después de todo, no representaban ninguna amenaza; no podían sobrevivir en la densa atmósfera de la Tierra.

Buscó la caja de los gusanos tráqueos en el bolsillo de su abrigo... y encontró un sobre.

Al sacarlo, descubrió perplejo que contenía 570 *creds*, en billetes de baja denominación.

"¿De dónde saqué esto?" —se preguntó—. "¿Acaso no gasté hasta mi último *cred* en el viaje?"

Con el dinero venía un trozo de papel que decía: *Se reembolsa la mitad. Mc Clane.* Y la fecha. La fecha de hoy.

—Recuerda... —dijo en voz alta.

—¿Recordar qué, señor o señora? —preguntó respetuosamente el robot conductor del taxi.

—¿Tiene un directorio telefónico? —pidió Quail.

—Seguro, señor o señora—. Se abrió una ranura; de ella salió un directorio del Condado de Cook en microcinta.

—Está escrito de forma extraña —dijo Quail mientras hojeaba la sección amarilla. Sintió miedo: un implacable miedo. —Aquí está —dijo. Lléveme allí, a Recuerda, S. A. Cambié de opinión. No quiero ir a casa.

—Sí, señor o señora, según sea el caso —dijo el chofer. Un instante después, el taxi se enfilaba en la dirección opuesta.

—¿Puedo usar el teléfono? —preguntó.

—Desde luego —dijo el robot conductor. Y le presentó un brillante y nuevo teléfono tridimensional modelo Emperador.

Marcó a su departamento. Y después de una pausa se vio confrontado con una diminuta pero realista imagen de Kirsten en la pequeña pantalla.

—Fui a Marte —le dijo.

—Estás borracho—. Sus labios se torcieron burlonamente.—O peor.

—Te lo juro.

—¿Cuándo? —inquirió.

—No lo sé. —Se sentía confundido—. Creo que fue un viaje simulado. En uno de esos lugares de memoria artificial o extraobjetiva o lo que sea. Pero no funcionó.

—*Estás* borracho —dijo Kirsten fulminante. Y cortó la comunicación. Él colgó, sintiendo la cara encendida. "Siempre el mismo tono", se dijo furioso. "Siempre las mismas críticas, como si ella lo supiera todo y yo nada. Vaya matrimonio, Kirsten", pensó desconsoladamente.

Momentos después, el taxi se detuvo frente a un moderno y atractivo edificio rosa, sobre el cual había un letrero de colores cambiantes de neón que decía: RECUERDA, S. A.

La recepcionista, elegante y desnuda de la cintura para arriba, se llevó una sorpresa, pero pronto recobró el control de sí misma.

—Qué tal, señor Quail —dijo nerviosamente—. ¿Có...cómo está? ¿Se le olvidó algo?

—El resto de la tarifa que pagué —dijo él.

Más tranquila, la recepcionista dijo:

—¿Tarifa? Me parece que está usted equivocado, señor Quail. Usted estuvo aquí para discutir la viabilidad de un viaje extraobjetivo, pero... —encogió sus suaves y pálidos hombros—. Según entiendo, no hizo ningún viaje.

Quail dijo:

—Lo recuerdo todo, señorita. Mi carta a Recuerda, S. A., que comenzó todo este asunto. Recuerdo mi llegada aquí, mi estancia con el señor McClane. Y luego los dos ténicos de laboratorio que me tomaron a su cuidado y me administraron una droga para dormirme.

No era extraño que la empresa le devolviera la mitad de la tarifa. La falsa memoria de su "viaje a Marte" no había funcionado... por lo menos no del todo, como le habían asegurado.

—Señor Quail —dijo la chica— a pesar de que usted es *sólo* un empleado, es muy bien parecido, y cuando se enoja arruina su aspecto. Si lo hace sentirse mejor, puedo... mmm... permitirle que me invite a salir.

Él enfureció.

—La recuerdo —dijo salvajemente—.

Recuerdo que sus senos están pintados de azul; eso se grabó en mi mente. Y también recuerdo la promesa del señor McClane de que si yo recordaba mi visita a Recuerda, S.A., me reembolsarían todo mi dinero. ¿Dónde está el señor McClane?

Tras un retraso tan breve como les fue posible, Quail se encontró de nuevo sentado ante el imponente escritorio de nogal, exactamente como hacía más o menos una hora.

—Vaya técnica la de ustedes —dijo Quail sardónicamente. Su decepción y su resentimiento eran, para este momento, enormes—. Mi supuesta "memoria" de un viaje a Marte como agente secreto de Interplan es imprecisa y vaga y está llena de contradicciones. Y recuerdo claramente los tratos que tuve aquí con ustedes. Debería llevar este asunto al Departamento de Supervisión de Negocios.

Para este momento ya estaba completamente trastornado. La idea de sentirse estafado lo abrumaba, y había terminado con su acostumbrada aversión a participar en una disputa pública.

Adusto pero a la vez cauto, McClane dijo:

—Nos rendimos, Quail. Le reembolsaremos el total de lo que pagó. Estoy totalmente de acuerdo en que no hicimos nada por usted. —Su tono era de resignación.

Quail dijo acusadoramente:

—Ni siquiera me proporcionaron los diversos artefactos que dijeron "probarían" mi estancia en Marte. Todo el alarde... no se ha materializado en ninguna maldita cosa. Ni siquiera en un trozo de un boleto. Ni en postales. Ni en un pasaporte. Ni en una prueba de vacunación. Ni...

—Escuche, Quail —dijo McClane—. Suponga que yo le dijera... —se interrumpió—. Olvídelo.

Presionó un botón de su intercomunicador.

—Shirley, ¿podría preparar un cheque de caja por 570 *creds* a nombre de Douglas Quail? Gracias. —Liberó el botón y miró a Quail.

Poco después llegó el cheque; la recepcionista lo puso frente a McClane y desapareció, dejando a los dos hombres, aún enfrentándose por encima de la superficie del masivo escritorio de nogal.

—Permítame que le dé un consejo —dijo McClane mientras firmaba el cheque y se lo presentaba a Quail—. No discuta su... mmm... reciente viaje a Marte con nadie.

—¿Cuál viaje?

—Bueno, ahí está la cosa. —Obstinadamente, McClane dijo—: El viaje que usted recuerda parcialmente. Actúe como si no se acordara; finja que nunca tuvo lugar. No me pregunte por qué; sólo siga mi consejo: será lo mejor para todos. —Había comenzado a sudar copiosamente—. Ahora, señor Quail, tengo otros negocios, otros clientes que atender. —Se levantó y acompañó a Quail a la puerta.

Al abrirla, Quail dijo:

—Una compañía que ofrece tan mal servicio no debería tener clientes —y cerró la puerta tras él.

En el taxi, de camino a casa, imaginó el contenido de la carta de queja que enviaría al Departamento de Supervisión de Negocios, División Tierra. Comenzaría tan pronto como pudiera estar frente a su máquina de escribir. Evidentemente, era su deber alejar a otras personas de Recuerda, S. A.

De vuelta en su departamento, se sentó frente a su máquina Hermes Rocket portátil, abrió los cajones y buscó papel carbón... y se topó con una pequeña caja que le parecía familiar. Una caja que había llenado cuidadosamente en Marte con fauna marciana y luego había pasado de contrabando por la aduana.

Para su incredulidad, al abrir la caja vio seis gusanos tráqueos muertos y diversas variedades de vida unicelular de la que se alimentaban los gusanos. Los protozoarios estaban secos y polvosos, pero los reconoció; le había tomado todo un día recolectarlos en los gigantescos depósitos de roca extraños para él. Fue un viaje de descubrimiento maravilloso e iluminador.

"Pero yo no fui a Marte", reconoció.

No obstante...

Kirsten apareció en el umbral de la habitación, cargando un bulto de víveres de color café claro.

—¿Qué haces en casa a mediodía? —su voz acusadora era de una monotonía infinita.

—¿*Fui a Marte?* —le preguntó—. Tú debes saberlo.

—No, claro que no fuiste a Marte. Y creo que *tú* deberías saberlo. ¿No estás siempre lamentándote de que no puedes ir?

—Por Dios, creo que fui. —Después de una pausa agregó—: Y al mismo tiempo creo que no fui.

—Decídete.

—¿Cómo puedo? —gesticuló—. Tengo ambos recuerdos grabados en mi mente; uno es verdadero y el otro no, pero no sé cuál es cuál. ¿Por qué no puedo confiar en ti? Tú no eres la estafada.

Ella podría al menos hacer esto por él... aunque fuera lo único.

Con voz llana, contenida, Kirsten dijo:

—Doug, si no te controlas, estamos perdidos. Te voy a abandonar.

—Estoy en problemas. —Su voz sonó seca y áspera. Y temblorosa—. Probablemente me acerco a un ataque psicótico. Espero que no, pero... quizá sea eso. De cualquier manera, eso lo explicaría todo.

Kirsten acomodó la bolsa de víveres y se dirigió dignamente al clóset.

—No estaba bromeando —le dijo en voz baja. Sacó un abrigo, se lo puso, caminó hacia la puerta del departamento.

—Te llamaré uno de estos días —dijo, neutral—. Adiós, Doug. Espero que eventualmente salgas de esto. En verdad ruego que así sea. Por tu bien.

—Espera —dijo él desesperadamente—. Sólo dime, con toda honestidad, ¿fui o no fui...? Dime cuál de los dos. "Pero pudieron haber alterado también tus recuerdos", —pensó.

La puerta se cerró. Su esposa se había ido. ¡Al fin!

Una voz detrás de él dijo:

—Bueno, hasta aquí. Ahora, manos arriba, Quail. Y, por favor, gírese y mire hacia este lado.

Instintivamente, Quail se volvió sin levantar las manos.

El hombre frente a él usaba el uniforme de color ciruela de la Agencia de Policía de Interplan, y su arma parecía ser de la ONU. Además, por alguna extraña razón, se le hacía familiar a Quail; familiar en una forma borrosa y distorsionada que no podía aclarar. Así que alzó sus manos bruscamente.

—Usted recuerda —dijo el policía— su viaje a Marte. Conocemos todas sus acciones y pensamientos del día de hoy... en especial los importantísimos pensamientos que tuvo de vuelta a casa de Recuerda, S.A. —Explicó: —Tenemos un teletransmisor conectado en su cráneo; nos mantiene informados constantemente.

Un transmisor telepático; fabricado con el plasma vivo que había sido descubierto en la Luna. Le dieron escalofríos de aversión contra sí mismo. La cosa vivía dentro de él, dentro de su propio cerebro, se alimentaba, escuchaba, se alimentaba. Pero la policía de Interplan los usaba; eso había aparecido incluso en las noticias locales. Así que esto seguramente era cierto, aunque fuera deprimente.

—¿Por qué yo? —preguntó Quail bruscamente. ¿Qué había hecho... o pensado? ¿Y qué tenía que ver esto con Recuerda, S. A.?

—Esencialmente —dijo el policía de Interplan— esto no tiene nada que ver con Recuerda; es entre usted y nosotros. —Se dio una golpecito en la oreja derecha—. Aún estoy captando sus procesos mentales por medio de su transmisor encefálico.

Quail vio una pequeña clavija de plástico blanco en la oreja del hombre.

—Así que debo advertirle: todo lo que piense puede ser usado en su contra. —Sonrió—. No es que importe mucho ahora; ya se ha sumergido en el olvido. Lo enojoso es el hecho de que bajo el efecto de la narquidrina, usted les contó a los técnicos y al dueño, el senor McClane, sobre su viaje... a dónde fue, para quién, y dijo algo de lo que hizo. Están muy asustados. Desearían nunca haberlo conocido. —Y agregó reflexivamente: —Tienen razón.

Quail dijo:

—Nunca hice ningún viaje. Es una cadena de falsa memoria implantada incorrectamente en mí por los técnicos de McClane. —Entonces pensó en la caja del cajón de su escritorio, que contenía las formas de vida marcianas. Y los problemas y dificultades que tuvo para recolectarlos. El recuerdo parecía real. Y la caja con las formas de vida... seguramente era real. A menos que McClane la hubiera sembrado. Quizás ésta era una de las "pruebas" de las que McClane había hablado con tanta desenvoltura.

"El recuerdo de mi viaje a Marte" pensó, "no me convence... pero desgraciadamente sí convenció a la Agencia de Policía de Interplan. Piensan que en verdad estuve en Marte, y creen que yo me doy cuenta, por lo menos parcialmente."

—No sólo sabemos que usted estuvo en Marte —aceptó el policía de Interplan, en respuesta a sus pensamientos—, sino también sabemos que ahora recuerda lo suficiente para hacernos difíciles las cosas. Y no tiene caso expurgar su memoria consciente de todo esto, porque si lo hacemos, usted simplemente aparecerá otra vez en Recuerda, S. A., y comenzaría de nuevo. Y no podemos hacer nada con McClane y su operación porque solamente tenemos jurisdicción sobre nuestra gente. De cualquier manera, McClane no ha cometido ningún crimen. —Miró de soslayo a Quail—. Y, técnicamente, tampoco usted. No fue a Recuerda, S. A. a recuperar su memoria, sino por la misma razón que toda la gente va... un placer intenso que la gente simple y aburrida tiene por las aventuras. Desafortunadamente, usted no es simple ni aburrido, y ya ha tenido mucha excitación; lo último que usted recordaba era un curso de Recuerda, S.A. Nada podía ser más letal para usted y para nosotros y... para el caso, también para McClane.

Quail dijo:

—¿Por qué es "difícil" para ustedes que yo recuerde mi viaje... mi supuesto viaje... y lo que hice ahí?

—Porque —dijo el policía de Interplan— lo que usted hizo no va de acuerdo con el gran y puro líder protector de nuestra imagen. Hizo para nosotros lo que nunca hacemos. Como pronto lo recordará... gracias a la narquidrina. Esa caja de gusanos muertos y algas ha estado sentada en su escritorio por seis meses desde que volvió. En ningún momento tuvo la menor curiosidad por ella. Ni siquiera sabíamos que la tenía hasta que usted se acordó durante su trayecto a casa desde Recuerda, S. A. Entonces vinimos a buscarla rápidamente. —Agregó, sin necesidad—: No tuvimos suerte; no hubo suficiente tiempo.

Un segundo policía de Interplan se unió al primero; conversaron brevemente. Mientras tanto, Quail pensaba a gran velocidad. Ahora recordaba más; el policía tenía razón con lo de la narquidrina. Quizás ellos mismos —Interplan— la usaban. ¿Quizás? Sabía con certeza que sí; los había visto aplicársela a un prisionero. ¿Dónde estaba él? ¿En algún lugar de la Tierra? Más probablemente en la Luna, decidió, mirando la imagen surgir de su memoria cada vez más deteriorada.

Y recordó algo más. La razón por la cual lo enviaron a Marte; el trabajo que había hecho.

No le sorprendía que hubiesen borrado su memoria.

—¡Cielos! —dijo el primer policía de Interplan, interrumpiendo la conversación con su compañero. Obviamente, había detectado los pensamientos de Quail—. Bueno, éste es un problema mucho peor; tan malo como podía ser. —Caminó hacia Quail, apuntándole con su arma—: tenemos que matarlo —dijo— de inmediato.

El otro oficial dijo nerviosamente: —¿Por qué de inmediato? ¿No podemos simplemente llevarlo a Interplan Nueva York y dejar que ellos...?

—*Él* sabe por qué debe ser de inmediato —dijo el primer policía. También parecía nervioso, pero Quail se dio cuenta que era por alguna razón totalmente distinta. Había recobrado su razón casi del todo. Y entendía por completo la tensión del oficial.

—En Marte —dijo Quail crudamente— maté a un hombre. Después de pasar por encima de quince guardaespaldas. Algunos tenían armas secretas, como ustedes—. Interplan lo había entrenado durante un periodo de cinco años para ser un asesino. Un asesino profesional. Sabía cómo burlar a adversarios armados... como estos dos oficiales; y el que tenía el aparato receptor en la oreja también lo sabía.

Si se movía con suficiente rapidez...

La pistola disparó. Pero él ya se había desplazado a un lado, y al mismo tiempo inmovilizó al policía del arma. En un instante se apoderó de la pistola y encañonó al otro oficial.

—Captó mis pensamientos —dijo Quail, jadeante—. Sabía lo que iba a hacer, pero de todas formas lo hice.

Casi recuperado, el oficial herido chilló:

—No usará esa pistola contra ti, Sam; también puedo captar eso. Él sabe que está acabado, y sabe que nosotros lo sabemos. Vamos, Quail—. Trabajosamente, temblando y con un gruñido de dolor, se levantó. Extendió su mano.

—El arma —pidió a Quail—. No puede usarla, y si me la da, le garantizo que no lo mataremos; tendrá una audiencia, y un superior de Interplan decidirá, no yo. Quizás ellos puedan borrar su memoria una vez más, no lo sé. Pero usted sabe por qué lo iba a matar; no pude evitar que lo recordara. Así que mis razones para matarlo están, en un sentido, en el pasado.

Empuñando el arma, Quail huyó del departamento y corrió hacia el elevador. "Si me siguen" pensó, "los mataré. Así que no lo hagan." Golpeó el botón del elevador y, un momento después, se abrieron las puertas.

Los policías no lo siguieron. Obviamente, captaron sus breves y tensos pensamientos y decidieron no arriesgarse.

El elevador descendió con él en su interior. Se había escapado... por un tiempo. ¿Pero qué seguía? ¿A dónde podía ir?

Llegó a la planta baja. Momentos después, Quail se unió a la masa de peatones que caminaban rápidamente por los andadores. Le dolía la cabeza y tenía naúseas. Pero por lo menos había evadido la muerte; habían estado muy cerca de matarlo allí mismo, en su propio departamento.

"Y seguramente lo intentarán de nuevo" decidió. "Cuando me encuentren. Y con este transmisor dentro de mí, no les llevará mucho tiempo."

Irónicamente, había encontrado lo que había pedido a Recuerda, S. A.: aventuras, peligro, la policía de Interplan en acción, un secreto y peligroso viaje a Marte en el cual su vida estaba en juego... todo lo que deseaba de una memoria falsa.

Las ventajas de que fuera sólo un recuerdo —y nada más— se podían apreciar ahora.

A solas, en una banca de un parque, se sentó a contemplar monótonamente una parvada de *vivaces*: unos semipájaros importados de las lunas de Marte, capaces de remontar el vuelo a pesar de la inmensa gravedad de la Tierra.

"Quizá pueda encontrar el camino de vuelta a Marte" consideró. ¿Y entonces qué? Sería peor en Marte; la organización política cuyo líder había asesinado lo descubriría en el momento mismo en que saliera de la nave. Allí, los tendría a *ellos* y a Interplan tras él.

"¿Pueden escucharme pensar?", se preguntó. Autopista fácil a la paranoia; sentado aquí, solo, los sintió sintonizarlo, monitorearlo, grabarlo, discutir... Se estremeció, se levantó, caminó sin rumbo, con las manos en los bolsillos. "No importa adónde vaya" consideró, "siempre estarán conmigo. Siempre que tenga este aparato dentro de la cabeza."

"Haré un trato con ustedes" pensó para sí mismo... y para ellos. "¿Pueden insertarme una nueva memoria falsa de nuevo, como lo hicieron antes, que indique que viví una vida rutinaria promedio y nunca fui a Marte? ¿Que nunca vi un uniforme de Interplan de cerca ni manejé un arma?"

En su cerebro una voz le respondió: —Ya se le ha explicado cuidadosamente: eso no sería suficiente.

Se detuvo, asombrado.

—Ya nos hemos comunicado antes con usted por esta vía —continuó la voz—. Cuando operaba en Marte. Han pasado meses desde la última vez que lo hicimos. De hecho, asumimos que nunca necesitaríamos hacerlo de nuevo. ¿Dónde está?

—Caminando —dijo Quail—, hacia mi muerte. "Con las armas de sus oficiales", pensó después.—¿Cómo pueden estar seguros de que no será suficiente? —exigió—. ¿Acaso no funcionan las técnicas de Recuerda?

—Como dijimos. Si se le da un patrón de recuerdos promedio, se pone usted... ansioso. Inevitablemente buscaría de nuevo a Recuerda S.A. o a uno de sus competidores. No podemos pasar por esto una segunda vez.

—Supongan —dijo Quail—, que una vez que se han cancelado mis recuerdos auténticos, me implantan algo más que unos recuerdos estándar. Algo que pueda satisfacer mi anhelo... ya lo han intentado. Seguramente por eso me contrataron. Pero deberían poder darme algo más... algo justo. Fui el hombre más rico de la Tierra pero finalmente doné todo mi dinero a una fundación educativa. O fui un famoso explorador del espacio exterior. Cualquier cosa de ese tipo... ¿No funcionará?

Silencio.

—Inténtenlo —pidió desesperadamente—. Consigan al mejor de sus psiquiatras militares; exploren mi mente. Descubran cuál es mi más anhelado sueño—. Trató de pensar. —Las mujeres —dijo—, miles de ellas, como Don Juan. Un *playboy* interplanetario... una amante en cada ciudad de la Tierra, la

Luna y Marte. Sólo que las abandoné por cansancio.
Por favor —rogó—, inténtenlo.

—¿Así que se entregaría voluntariamente?
—preguntó la voz en su cabeza—. Si accedemos a
arreglar esa solución... *Si* es posible.

Después de un instante de duda, dijo: —Sí—.
"Correré el riesgo" se dijo, "de que no me matarán
sin más".

—Usted hace el primer movimiento —dijo
la voz de inmediato—. Entréguese a nosotros e
investigaremos esa posibilidad. Sin embargo, si no
podemos hacerlo, si sus recuerdos anteriores co-
mienzan a surgir como esta vez... —Hubo un silencio y luego la voz terminó—:Tendremos que
destruirlo. Debe comprender. Bueno, Quail, ¿aún
quiere intentarlo?

—Sí —dijo—, porque ahora la alternativa era
la muerte... una muerte segura. Por lo menos de esta
manera tenía una oportunidad, por pequeña que
fuera.

—Preséntese en nuestro cuartel principal de
Nueva York —comenzó la voz del policía de Interplan—. En el 580 de la Quinta Avenida, piso 12.
Una vez que se haya entregado, haremos que nuestros psiquiatras comiencen con usted; le haremos
pruebas de perfil de personalidad. Trataremos de
determinar su fantasía mayor y absoluta... y luego
lo llevaremos de nuevo a Recuerda, S. A.; y haremos que cumplan ese deseo en una retrospectiva
sustituta. Y... buena suerte. Sí, estamos en deuda
con usted: actuó como un instrumento muy útil y
capaz.

La voz carecía de malicia. Parecía que ellos
—la organización— sentían simpatía por él.

—Gracias —dijo Quail—. Y comenzó a buscar un taxi robot.

—Señor Quail —dijo el viejo y serio psiquiatra de Interplan—, posee usted una fantasía muy interesante. Quizás nada que suponga o anhele conscientemente. Así ocurre en general; espero que no le moleste demasiado enterarse.

El oficial de alto rango de Interplan dijo bruscamente:

—Más vale que no le disguste mucho enterarse, no si espera que no lo matemos.

—En contraste con la fantasía de ser un agente secreto de Interplan —continuó el psiquiatra—, que, al ser un producto relativamente perteneciente a la madurez, tenía cierta posibilidad de lograr, esta produccón es un grotesco sueño de su niñez; no me extraña que no lo recuerde. Su fantasía es ésta: tiene nueve años, va caminando solo por un sendero rústico. Una clase extraña de nave espacial de otro sistema solar aterriza justo frente a usted. En toda la Tierra, sólo usted la ve, señor Quail. Las criaturas de la nave son muy pequeñas e indefensas, del tipo de los ratones de campo, aunque quieren invadir la Tierra. Cientos de miles de naves estarán en camino cuando esta nave exploratoria dé la señal de avance.

—Y yo me imagino que los detengo —dijo Quail, experimentando una mezcla de diversión y disgusto—. Los destruyo con una mano en la cintura. Quizá pisándolos.

—No —dijo el psiquiatra pacientemente—. Impide la invasión, pero no los destruye. Se muestra amable y piadoso con ellos, incluso por telepatía, su medio de comunicación; usted sabe por qué han venido. Ellos nunca han visto modales tan humanitarios en ningún organismo racional, y para demostrarle su aprecio hacen un pacto con usted.

—No invadirán la Tierra mientras yo viva—dijo Quail.

—Exactamente—. El psiquiatra se dirigió al funcionario de Interplan: —Ya ve que sí es compatible con su personalidad, a pesar de que finja desdén.

—Así que con sólo existir —dijo Quail, sintiendo un creciente placer—, con sólo estar vivo, mantengo a la Tierra lejos del yugo alienígeno. Entonces, soy, en efecto, la persona más importante de la Tierra. Sin mover un dedo.

—Así es, señor —dijo el psiquiatra—. Y esto está en el fondo de su psique; es una fantasía de la niñez que ha durado toda su vida. Y que sin una profunda terapia con fármacos nunca hubiera recordado. Siempre ha existido en usted; sólo que se fue al fondo, pero nunca se extinguió.

El oficial de policía de Interplan estaba sentado y escuchaba atentamente:

—¿Puede implantarle una memoria extraobjetiva tan extrema?

—Tenemos todos los tipos posibles de deseo o fantasía —dijo McClane. Francamente he oído cosas peores que ésta. Por supuesto que podemos manejarlo. Dentro de 24 horas no sólo *deseará* haber salvado la Tierra; creerá devotamente que así ocurrió.

El oficial de policía dijo: —Entonces puede comenzar a trabajar. Ya borramos de nuevo la memoria de su viaje a Marte —dijo el oficial de policía.

—¿Qué viaje a Marte? —dijo Quail.

Nadie le respondió, así que desechó de mala gana la pregunta. Y de cualquier forma, ya había aparecido un automóvil de la policía. Él, McClane y el policía se metieron a él y se pusieron en camino a Chicago y Recuerda, S. A.

—Será mejor que no cometa ningún error esta vez —dijo el oficial a un robusto McClane de apariencia nerviosa.

—No veo qué pueda ir mal —dijo McClane, sudando—. Esto no tiene nada que ver con Marte ni con Interplan. Impedir una invasión a la Tierra de otro sistema solar con una mano en la cintura.

Meneó la cabeza.

—En fin, lo que un niño llega a soñar. Y por virtud piadosa, no por la fuerza. Es muy peculiar—. Se enjugó la frente con un gran pañuelo de lino.

Nadie dijo nada.

—De hecho —dijo McClane—, es conmovedor.

—Pero arrogante —dijo el oficial de policía severamente—. Pues en cuanto él muera comenzará la invasión. No me extraña que no lo recuerde: es la fantasía más pomposa que he escuchado. —Miró a Quail con desaprobación—. Y pensar que pusimos a este hombre en nuestra nómina.

Cuando llegaron a Recuerda, S. A., la recepcionista se reunió con ellos, sin aliento, en la oficina exterior.

—Bienvenido de nuevo, señor Quail —revoloteó, sus senos de forma de melón, esta vez pintados de naranja incandescente, se sacudieron por la agitación—. Siento que todo haya salido tan mal; estoy segura que esta vez será mejor.

Aún secándose la frente con su pulcramente doblado pañuelo de lino irlándes, McClane dijo:—Que así sea—. Volviéndose con rapidez, reunió a Lowe y Keeler, los escoltó junto con Douglas Quail al área de trabajo, y luego volvió a su oficina con el oficial de policía y Shirley. Para esperar.

—¿Contamos con un paquete para esto, señor McClane? —preguntó Shirley, chocando con él en su agitación y luego ruborizándose modestamente.

—Creo que sí. —Intentó recordar, luego se dio por vencido y consultó la lista formal.

—Una combinación —decidió en voz alta—, de los paquetes ochenta y uno, veinte y seis. Extrajo los paquetes adecuados de la bóveda situada detrás de su escritorio, y los inspeccionó. —Del ochenta y uno —explicó—, un bastón curativo que le dieron al cliente, esta vez el señor Quail, la raza de seres de otro sistema. Un recuerdo de su gratitud.

—¿Funciona? —preguntó con curiosidad el oficial de policía.

—Funcionó una vez —explicó McClane—. Pero... mmm... verá usted... Él lo usó hace tiempo para sanar. Ahora es sólo un recordatorio. Pero se acuerda de que funcionaba en forma espectacular.

Carraspeó y abrió el paquete veinte.

—Un documento del Secretario General de la ONU agradeciéndole que salvó a la Tierra. Éste no es muy apropiado, pues parte de la fantasía de Quail es que nadie más que él sabe de la invasión, pero lo incluiremos para una mayor verosimilitud.

Entonces inspeccionó el paquete seis. ¿Qué saldría de éste? No podía recordar. Frunciendo el ceño, buscó en la bolsa de plástico mientras Shirley y el oficial de policía de Interplan lo observaban atentamente.

—Escritura —dijo—. En una lengua extraña.

—Esto indica quiénes eran —dijo McClane—. Y de dónde vinieron. Incluye un detallado mapa estelar que sitúa su viaje hacia acá y su sistema de origen. Por supuesto que está en su lengua, así que él no lo puede leer.

—Éstos deben ser llevados al departamento de Quail —dijo al oficial de policía—. Así que los encontrará cuando vuelva a casa. Y confirmarán su fantasía. PBO... Procedimiento Básico de Operación. —Chasqueó la lengua con aprehensión, preguntándose cómo irían las cosas con Lowe y Keeler.

El intercomunicador zumbó.

—Siento molestarlo, señor McClane...

Era la voz de Lowe. Se heló cuando la reconoció; se congeló y enmudeció.

—Pero ha surgido algo, quizá sería mejor que viniera usted a supervisar. Igual que antes, el señor Quail reaccionó bien con la narquidrina. Está inconsciente, relajado y receptivo. Pero...

McClane corrió al área de trabajo.

Douglas Quail yacía en una cama higiénica; respiraba lenta y regularmente, tenía los ojos entrecerrados, estaba vagamente consciente de quienes lo rodeaban.

—Comenzamos a interrogarlo —dijo Lowe, pálido—. Para encontrar exactamente dónde colocar el recuerdo de la fantasía de que él había salvado a la Tierra con una mano en la cintura. Y, extrañamente...

—Me indicaron que no dijera nada —murmuró Douglas Quail en un tono lento, saturado de fármacos—, ése fue el trato. Yo ni siquiera debía recordarlo. ¿Pero cómo podía olvidar un encuentro como ése?

"Me imagino que debió ser difícil", reflexionó McClane. "Pero lo logró... hasta ahora".

—Incluso me dieron un pergamino —murmuró Quail— de gratitud. Lo tengo escondido en mi departamento. Se los mostraré.

McClane dijo al oficial de policía de Interplan, que lo había seguido:

—Bueno... me permito sugerir que no lo maten. Si lo hacen, ellos volverán.

—También me dieron un bastón destructor invisible —murmuró Quail, sus ojos completamente cerrados ahora—. Así maté a aquel hombre en Marte al que ustedes me enviaron a eliminar. Está en mi cajón con la caja de gusanos tráqueos marcianos y la vida vegetal deshidratada.

Enmudecido, el oficial de Interplan dio la vuelta y salió del área de trabajo.

"Podría de una vez guardar los paquetes de artefactos probatorios", se dijo McClane con resignación. Caminó lentamente hacia su oficina. "Incluyendo el documento del Secretario General de la ONU. Después de todo..."

Seguramente el verdadero aparecería muy pronto.

# Índice

# Notas sobre los autores

H. G. Wells (1866-1946): conocido como el padre de la ciencia ficción moderna, Wells es uno de los más grandes escritores ingleses de este siglo. Fue uno de los fundadores del Pen Club. La influencia de sus obras se extiende hasta autores tan importantes como Jorge Luis Borges, Italo Calvino y J, G, Ballard. Entre sus principales novelas están: *La máquina del tiempo, El hombre invisible, La isla del Dr. Moreau, Los primeros hombres en la luna* y *La guerra de los mundos*.

Edmond Hamilton (1904-1977): Escritor norteamericano muy poco conocido que pertenece a la primer generación de autores profesionales de ciencia ficción; la llamada "Edad de oro" de los años cuarentas.

Ray Bradbury (1920): Escritor norteamericano. Publicó sus primeros relatos en la editorial Arkham House, fundada por August Derleth en los años cuarenta. La prosa de Bradbury se distingue por su gran calidad poética y estilística, convirtiéndolo en uno de los autores más leídos del género. Entre sus obras más importantes están: *El país de octubre, Crónicas marcianas, Fahrenheit 451* y *El hombre ilustrado*.

Clifford D. Simak (1904- 1988 ): Escritor norteamericano ganador de varios premios *Hugo* y *Nebula* . Sus obras son una exaltación a la vida campirana y a la fraternidad que puede existir entre todos los seres del universo. Entre sus libros destacan: *Ciudad, Estación de tránsito* y *Un anillo alrededor del sol.*

Robert Silverberg (1935- ): Escritor norteamericano. Su obra, fuertemente influida por los movimientos contraculturales de los años sesentas, sentaría las bases para una nueva forma de escribir ciencia ficción, donde las posibilidades evolutivas del género humano son explotadas hasta sus máximas consecuencias. A lo largo de su carrera, Silverberg ha recibido varios premios *Hugo* y *Nebula*; y es el autor que más veces ha sido nominado a los mismos. Entre sus numerosas novelas destacan: *Alas nocturnas, A través de un billón de años, Muero por dentro, El libro de los cráneos, Regreso a Belzarog* y la interesante serie *Crónicas de Majipur.*

Arthur C. Clarke (1917- ): Autor inglés. Además de la fama que le ha dado su excelente producción literaria, Clarke es una figura importante en el medio científico; en 1945, sus conocimientos y teorías, sirvieron de base para la invención del satélite de comunicaciones. Fue presidente de la Sociedad interplanetaria Británica y miembro de la Academia de Astronáutica. Clarke es uno de los autores clave de la ciencia ficción "hard" (aquella que se distingue por su apego casi total a la ciencia y sus fundamentos). Entre sus obras destacan *Cita con Rama, 2001, Odisea espacial, Cánticos de la lejana Tierra, Fuentes del Paraíso* y *El fin de la infancia.*

na *Tierra*, *Fuentes del Paraíso* y *El fin de la infancia*.

Isaac Asimov (1920-1992): Autor norteamericano de origen ruso. Con más de 400 libros escritos a lo largo de su vida, Asimov es el autor más famoso de ciencia ficción, aunque también se distinguen sus antologías del género y sus obras de divulgación científica. Entre sus obras más importantes están: *Yo robot*, *El fin de la eternidad*, *Los propios dioses* y su serie *Fundación*.

Stanislaw Lem ( 1921- ): Autor ucraniano. Es miembro fundador de la Sociedad Polaca de Astronáutica. Su obra se distingue por un alto grado de lucidez filosófica y corrosivo humor, y se le ha llegado a comparar con Lewis Carroll y Franz Kafka. Entre sus principales libros están: *Memorias encontradas en una bañera*, *Congreso de futurología*, *Ciberiada* y *Perfecto vacío*.

Philip K. Dick (1928-1982): Escritor norteamericano. Su vida tormentosa y paranoica ha convertido a Philip K. Dick en una leyenda. La temática de sus libros, llenos de extraños personajes, pone en tela de juicio las bases de la realidad, de tal forma que la ciencia ficción de Dick no se parece a nada; aunque su influencia se extiende a nuevos autores del género como William Gibson, Tim Powers y Rudy Rucker. Entre sus libros más importantes están: *El hombre en el castillo*, *La penúltima verdad*, *Ubik*, *Tiempo de marte* y *¿Sueñan los androides con ovejas eléctricas?*, cuyo argumento sirvió de base para el guión de la película *Blade Runner*.

*Cuentos de ciencia ficción. Antología*
se imprimió en Gráficas Monte Albán, S.A. de C.V.
Fraccionamiento Agro Industrial La Cruz,
El Marqués, 76240, Querétaro, México,
en diciembre de 2001.
El tiraje fue de 45 000 ejemplares
más sobrantes de reposición.